Les recettes préférées et
les produits coups de cœur
de ces femmes qui redéfinissent
la cuisine au Québec

Richard Bizier / Roch Nadeau

15 FEMMES CHEFS

Préface de Louise Latraverse

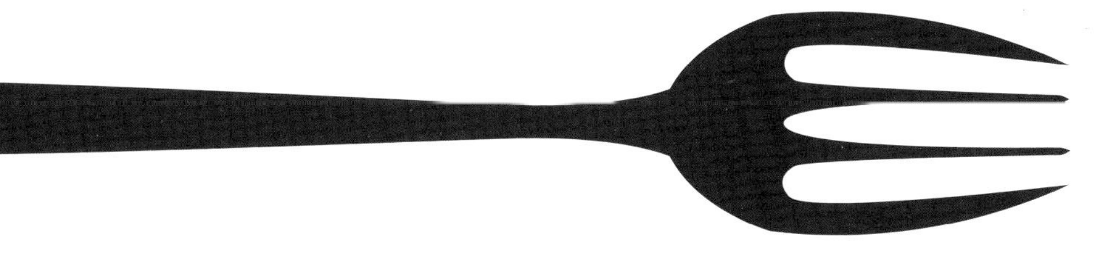

Direction éditoriale: Hélène-Andrée Bizier
Direction artistique: Julien Del Busso

Amérik Média est une marque de Del Busso éditeur
1209, avenue Bernard Ouest, bureau 200
Montréal (Québec) H2V 1V7
Tél.: 514 276-1298 - Fax: 514 276-1349
www.delbussoediteur.com

Distribution: Édipresse
945, avenue Beaumont
Montréal (Québec) H3N 1W3
1-800-361-1043

Dépôt légal: 1er trimestre 2012
Bibliothèque et Archives nationales du Québec
ISBN 978-2-923543-19-2

PRÉFACE

Que j'aime l'idée de ce livre ! Enfin un ouvrage qui conjugue les arômes et les saveurs que nous apprécions tant quand nous nous attablons à l'enseigne des femmes chefs du Québec. Ce livre me rappelle l'époque, où je dînais au restaurant plusieurs fois par semaine. J'y allais par goût, mais aussi par nécessité et toujours avec plaisir, car je collaborais au *Guide restos Voir* qui était, bien entendu, consacré à la cuisine et à la restauration. Il m'arrive encore d'accompagner mon ami Robert Beauchemin sur les chemins, semés de surprises, de la critique culinaire.

Qu'elles sont belles et concentrées, ces filles ! Et leurs recettes, si fraîches, si appétissantes. Le sujet des femmes chefs est tellement inspirant que j'ai peine à croire que personne, avant Richard Bizier et Roch Nadeau, n'ait eu l'idée d'un livre semblable. Ces femmes-là sont expérimentées, aguerries. Dans le court portrait qui précède leurs recettes et leurs coups de cœur, on découvre que, pour la plupart d'entre elles, leur passion pour la cuisine s'est révélée pendant leurs jeunes années. Plus tard, malgré des détours qui les ont parfois éloignées de ce rêve, elles y sont revenues. La profession qu'elles exercent exige beaucoup puisque le cuisinier et la cuisinière travaillent de l'aube jusqu'à la nuit et qu'ils sont souvent déchirés entre métier et vie familiale.

Ce n'est pas d'hier que les femmes sont à l'œuvre en cuisine. Certaines ont connu la célébrité mais elles sont rares car les femmes en cuisine ont surtout été, dans les grands et les petits restaurants, dans les chantiers ou dans les cafétérias, des travailleuses de l'ombre. D'autres possédaient un petit restaurant où elles proposaient une cuisine ménagère qu'on consommait à l'heure du lunch ou en voyageant à travers le Québec. Leurs plus grands fans étaient les camionneurs et ceux qu'on appelait les voyageurs de commerce. C'était l'époque où on était bien content de lire, sur l'ardoise, un menu du jour, partout semblable : soupe au légumes ou aux pois, pain de viande ou pâté chinois, patates frites ou pilées, tartes au sucre ou carrés aux dattes maison. Telle était, la cuisinière et restauratrice que nous croisions autrefois.

La cuisinière s'est transformée. Elle s'est taillé une place et s'est gagné l'estime du public et celle difficile à conquérir, des hommes de la profession. Je connais seulement quelques-unes des femmes chefs que Richard Bizier et Roch Nadeau présentent ici. Je garde d'elles des souvenirs où foisonnent les saveurs zestées dont certaines tables féminines ont le secret. À tort peut-être, je crois qu'il faut une femme pour oser construire un plat autour d'un pamplemousse pelé à vif, pour marier morue et citronnelle ou pour imaginer une rencontre gingembre et petits pois. Je veux dire par là qu'il faut beaucoup d'assurance et d'audace pour signer un plat avec un-petit-quelque-chose-de-subtil qui imprègne les mémoires. Et qui transforme un convive de passage en habitué.

Je cuisine beaucoup. Je cuisine passionnément. J'emprunte, j'adapte, je teste, je dévore. J'invite aussi des convives à partager ma passion pour la cuisine bien faite. J'ai trouvé dans ce livre conçu par deux hommes, des signatures et des plats inspirants. Ils n'ont pas seulement ravivé ma gourmandise, ils m'ont rappelé que ces femmes contribuent activement au renouveau de la cuisine d'ici et qu'on peut en être fiers.

Louise Latraverse
Mars 2012

AVANT-PROPOS

Il y a déjà plusieurs années, dans un ouvrage intitulé *Les grandes dames de la cuisine au Québec*, Richard rendait un hommage à des pionnières dont la notoriété n'est plus à faire: Jehane Benoît, Germaine Gloutnez, Sœur Monique Chevrier, Sœur Berthe Sansregret, pour n'en nommer que quelques-unes. Elles partageaient une même passion pour la cuisine et un désir égal de transmettre leur savoir-faire. Pendant une cinquantaine d'années, elles ont entretenu un dialogue avec les milliers d'amateurs de cuisine qui les suivaient dans les médias. Leurs conseils ont germé dans des terreaux fertiles. En témoigne l'intérêt des générations suivantes pour la cuisine ménagère, d'abord, et, ensuite, pour la cuisine gastronomique.

Aujourd'hui, c'est à des jeunes femmes héritières de ces pionnières que nous voulons rendre hommage. Nous les avions croisées à l'époque où nous produisions des chroniques culinaires et des critiques de restaurants pour un quotidien montréalais. Nous avions été séduits par leur personnalité et par leur talent. L'assurance qui les pousse à projeter leur signature comme restauratrice ou traiteur montre qu'elles ont trouvé leur place dans la confrérie des chefs.

Les quinze femmes chefs que nous vous présentons ici reflètent autant d'horizons culinaires. Certaines ont développé une grande complicité avec les producteurs et les artisans de la région où elles travaillent. D'autres sont les ambassadrices du pays qui les a vu naître. Elles en adaptent les traditions en puisant au marché local et en travaillant, elles aussi, avec les produits du terroir québécois. Nous admirons leur ténacité, la force qui leur permet de se renouveler, la générosité qui permet à plusieurs d'entre elles de transmettre leur savoir par le biais de cours et d'ateliers.

Simplement intitulé *15 femmes chefs*, ce livre permet de les découvrir dans cette intimité où la cuisine leur est apparue, non seulement comme un art de vivre, mais comme une source de vie. La cuisine est l'univers où elles se révèlent, le lieu où elles s'ingénient à créer des plats colorés, simples et savoureux. Ces 15 chefs québécoises nous ont ouvert leurs portes et leurs secrets. Elles se sont racontées, elles nous ont offert quelques-unes de leurs recettes préférées et ont puisé dans leur carnet d'adresses afin de nous faire partager leurs coups de cœur pour des agriculteurs, des éleveurs, des cueilleurs, des charcutiers, des fromagers, des vignerons et bien d'autres passionnés dont les produits sont en vedette dans leur cuisine. Enfin, pour les besoins des photos de ce livre, elles nous ont permis de réaliser nous-mêmes leurs recettes, comme vous le ferez à la maison. En toute simplicité. Nous les en remercions.

* * *

Un livre comme celui-ci ne se réalise pas sans de grandes complicités et nous ne pouvons ici nommer tous ceux et celles qui, à différents niveaux, nous ont appuyés. Nous tenons quand même à remercier tout particulièrement quelques-uns d'entre eux.

Merci à Hélène-Andrée Bizier, conseillère à l'édition, qui a si bien su nous diriger et nous encourager tout au long de la rédaction de cet ouvrage. Merci à Paquerette Villeneuve pour ses conseils judicieux.

Merci à Louise Bousquet de nous avoir prêté sa magnifique vaisselle et autres accessoires en porcelaine, créés à son atelier en Montérégie, qui ont mis en valeur la présentation de plusieurs des plats de cet ouvrage (Porcelaine Bousquet, www.porcelainesbousquet.com) et à la boutique 3 Femmes et un Coussin dont les assiettes, les bols et les plats de service ont aussi contribués à la réussite de nos photos (3 Femmes et un Coussin, www.3f1c.com).

Un grand merci à Line Lafontaine et à Nino Marconi de nous avoir fourni les fruits, les légumes et les herbes pour la réalisation des plats (Chez Nino fruits et légumes), à Patrick Loyau de nous avoir fourni les viandes et les autres denrées nécessaires à la réalisation des recettes. (La Boucherie du Marché), à Isabelle et à Suzanne du Marché des Saveurs du Québec de nous avoir fourni des produits notre recherche et à François Brouillard des Jardins Sauvages de nous avoir fourni des plantes insolites et indigènes de notre flore québécoise (Les Jardins sauvages)

Merci à Anne Desjardins, à Pierre Audette et à leur fils Emmanuel, de L'Eau à la Bouche, de nous avoir accueilli chaleureusement dans leur auberge de Sainte-Adèle. Merci à Jean Rossignol et à Carole Faucher de l'Auberge du Mange Grenouille au Bic, pour leur généreuse hospitalité qui nous a permis de faire nos entrevues et nos recherches sur les femmes chefs de cette région du Bas-Saint-Laurent.

Enfin, merci à l'éditeur, Antoine Del Busso, pour sa patience exemplaire devant les impondérables qui ont retardé la parution de cet ouvrage.

Richard Bizier
Roch Nadeau

TABLE

GRAZIELLA
BATTISTA

En 2007, Graziella Battista crée une table à laquelle elle donne tout simplement son prénom. En ajoutant sa touche personnelle à la cuisine traditionnelle italienne, cette jeune chef passionnée a su gagner le cœur des gastronomes québécois, qui redécouvrent chez Graziella les saveurs et les arômes qui ont fait la réputation de son premier restaurant, Il Sole. Une cuisine à la fois simple et recherchée, classique et créative.

« Il faut être simple et se concentrer sur les saveurs. Je cuisine comme le faisait ma mère… »

Graziella Battista est née à Montréal, d'un couple de jeunes Italiens, Michelina Aquino et Nicola Battista. De son enfance, Graziella garde les souvenirs odorants des plats préparés par sa mère ou de l'incomparable prosciutto, l'une des nombreuses charcuteries dont son père avait le secret. Les Battista aiment recevoir et la table déborde de victuailles. Et, comme le veut la tradition, tablier autour de la taille, la mère veille à tout. C'est avec elle que, tout naturellement, Graziella apprend l'art de recevoir et de régaler ses clients. C'est grâce à elle qu'aujourd'hui, elle marie avec bonheur les traditions culinaires du pays d'origine de ses parents à celles du terroir qu'ils ont adopté pour elle. «Je fais une cuisine régionale italienne en respectant les saisons d'ici, en utilisant les produits d'ici.»

Au sortir de l'adolescence, Graziella Battista a déjà une certitude absolue: un plat doit être aussi savoureux, qu'il soit réalisé avec les ingrédients les plus simples ou les plus luxueux. Pourtant, elle hésite à reconnaître que la cuisine – qu'elle a toujours vue comme une occupation maternelle plutôt que comme un métier – est l'univers où elle veut vivre et travailler. Elle fait donc un premier détour par l'université, où elle étudie le commerce et les affaires. Sans toutefois s'éloigner de la cuisine, qu'elle fréquente, le week-end, en travaillant pour des traiteurs italo-québécois. Après une brève incursion dans l'univers de la mode, Graziella se rend à l'évidence: aucun vêtement griffé ne vaut le tablier d'un cuisinier!

En 1994, mettant à profit sa formation universitaire, elle ouvre, boulevard Saint-Laurent, un restaurant au décor sobre rehaussé par une sculpture représentant un soleil, Il Sole. Elle contribue au mouvement de gentrification de ce secteur où les restaurants et autres adresses à la mode se multiplient, attirant une clientèle venue de tous les horizons. «Chaque fois que je sors du Québec, je visite les meilleurs restaurants, et quand je reviens, je trouve qu'on n'a rien à envier au reste du monde.» Deux ans plus tard, Graziella s'associe officiellement avec son mari, Pierre Julien, diplômé de l'École hôtelière de Rouen et impliqué dans le fonctionnement du restaurant depuis le début.

Il Sole a beau faire salle comble, Graziella éprouve toujours le besoin d'apprendre. En 1997, elle participe à un stage de trois semaines organisé par l'Institut de tourisme et d'hôtellerie du Québec et par la Délégation commerciale d'Italie dans le but de permettre aux cuisiniers de se familiariser avec les cuisines régionales italiennes. Au contact des chefs invités, sa passion s'intensifie. Elle fait des séjours de plus en plus fréquents en Italie, où elle raffine et personnalise son art. Et c'est en revampant la cuisine des différentes régions d'Italie à sa manière toute montréalaise que Graziella attire une clientèle urbaine qui veut qu'on l'étonne.

En 2004, Graziella Battista et Pierre Julien font une pause. Trois ans plus tard, pour le plus grand bonheur de leur clientèle inconsolable de la fermeture d'Il Sole, ils ouvrent un nouveau restaurant dans l'un des beaux immeubles de la rue McGill. Chez Graziella, le soleil brille toujours et éclaire les pierres plus que centenaires de cet ancien bureau d'architectes ainsi que les éléments de décor tirés de coffres aux trésors des années 1970. La cuisine à aire ouverte rythme l'ambiance: «Je veux faire partie de l'expérience. En fusion avec la salle, on devient un avec le client.»

L'intérêt des Québécois pour la cuisine et pour les transformations qu'elle subit sous l'influence d'une nouvelle génération de cuisiniers, dont elle fait partie, stimule Graziella et son équipe, dont les chefs adjoints Monick Gilles et Nicolas Ficuciello, avec qui elle tient à partager son succès. «La clientèle nous rend la tâche plus intéressante parce qu'elle est intéressée. Elle nous inspire.»

Et l'inspiration de Graziella produit des alliances d'arômes, de textures et de saveurs contrastés parfois saisissantes, toujours justes. Imaginez cette bouchée de pétoncle sauce à la viande, cette joue de veau sur mousseline de panais ou cette pintade farcie au foie gras et au prosciutto accompagnée d'un oignon mariné à l'aigre-doux (*cipolla di Tropea*). Ou encore, cet osso buco à la milanaise parfumé à la gremolata et accompagné d'un risotto safrané... simplement parfait.

GRAZIELLA
Cuisine italienne

116, rue McGill
Montréal
514 876-0116
www.restaurantgraziella.ca

PASSATELLI AU PARFUM DE MORTADELLE ET CITRON

Pour 6 personnes

Préparation: 15 min
Temps de repos: 1 h
Cuisson: 5 min

Ingrédients

300 ml (1 ¼ tasse) de chapelure
375 ml (1 ½ tasse) de parmesan râpé et un peu plus pour la garniture
4 œufs
60 ml (4 c. à soupe) de farine
50 g (⅓ tasse) de mortadelle, coupée en petits dés
Zeste râpé de 1 citron
1 pincée de muscade
Sel de mer et poivre
2 L (8 tasses) de bouillon de bœuf ou de volaille

- À l'aide d'un robot culinaire, mélanger la chapelure, le fromage, les œufs, la farine, la mortadelle et le zeste de citron. Assaisonner de sel, de poivre et de muscade. Réfrigérer une heure environ.
- Façonner le mélange en passatelli à l'aide d'un presse-purée (celui pour faire les pommes de terre en riz).
- Porter le bouillon au point d'ébullition et y verser les passatelli; retirer du feu dès que l'ébullition reprend.
- Verser dans des bols à soupe ou des assiettes creuses, saupoudrer de parmesan et servir.

JARRET DE PORC RÔTI AU VIN ROUGE

Pour 4 personnes

Préparation: 30 min
Temps de repos: 4 h (minimum)
Cuisson: 3 à 4 h

Ingrédients

4 jarrets de porc (pattes arrière) de 10 à 15 cm (4 à 5 po) d'épaisseur
500 ml (2 tasses) de vin rouge
6 baies de genièvre
Pelure de 1 orange
15 ml (1 c. à soupe) de romarin frais, haché
15 ml (1 c. à soupe) de marjolaine fraîche, hachée
Sel de mer et poivre
190 ml (¾ tasse) d'huile d'olive
2 gros oignons tranchés
1 feuille de laurier
250 ml (1 tasse) de sauce tomate (maison de préférence)
125 ml (½ tasse) de tomates, pelées et grossièrement hachées
1 kg (2 lb) de pommes de terre, pelées et tranchées, bouillies (facultatif)

- Mettre les jarrets dans un bol, ajouter le vin rouge les baies de genièvre, la pelure d'orange et les fines herbes, saler et poivrer. Couvrir et réfrigérer une nuit ou au moins 4 heures en tournant les jarrets dans la marinade à l'occasion.
- Préchauffer le four à 180 °C (350 °F). Égoutter les jarrets et les assécher partiellement. Réserver la marinade. Chauffer ½ tasse d'huile d'olive dans une poêle et y faire dorer les jarrets de tous les côtés à feu modéré; les transférer dans une rôtissoire.
- Ajouter ¼ de tasse d'huile à la poêle et y faire sauter les oignons 10 minutes environ, à feu moyen-doux, en remuant souvent. Incorporer la marinade, le laurier, la sauce tomate et les tomates hachées; porter à ébullition et mijoter 5 minutes. Saler et poivrer.
- Verser la sauce sur les jarrets et bien les enrober. Couvrir d'une feuille d'aluminium et cuire les jarrets de 3 à 4 heures en les tournant et en les badigeonnant de sauce toutes les 20 minutes.
- Retirer la feuille de laurier. Si désiré, déposer les tranches de pomme de terre dans la rôtissoire 20 minutes avant la fin de la cuisson.
- Dresser les pommes de terre et la sauce sur une assiette plate, y déposer un jarret, décorer de quelques herbes et servir aussitôt.

GÂTEAU AU ROMARIN

Préparation: 5 min
Cuisson: 45 à 50 min

Ingrédients

4 œufs
175 ml (¾ tasse) de sucre
160 ml (⅔ tasse) d'huile d'olive
30 ml (2 c. à soupe) de romarin frais, haché
375 ml (1 ½ tasse) de farine
15 ml (1 c. à soupe) de poudre à pâte
2 ml (½ c. à thé) de sel

- Préchauffer le four à 165°C (325°F).
- Beurrer et fariner un moule à pain.
- Battre les œufs et le sucre jusqu'à ce que le mélange soit lisse et mousseux, ajouter l'huile d'olive petit à petit en continuant de battre. Ajouter le romarin. Incorporer les ingrédients secs, graduellement et à basse vitesse.
- Verser dans le moule et cuire de 45 à 50 minutes ou jusqu'à ce qu'une lame insérée au centre du gâteau en ressorte sèche.
- Servir tiède ou froid, en collation ou en dessert, nature ou accompagné de fruits.

LE CABERNET SEVERNYI
d'Anthony Carone

Anthony Carone a établi son vignoble au cœur de Lanaudière. À huit ans déjà, il était initié à la fabrication du vin par son père. Il produit, au Québec, des vins rouges qui ont obtenu plusieurs prix. Depuis 1995, il consacre une grande partie de son temps à la recherche d'un raisin à vin qui soit propre au terroir de la région. Il est le seul viticulteur commercial de Cabernet Severnyi au Québec. Ce vin boisé possède une robe foncée, intense, aux reflets pourprés. Le nez est séduisant, fruité. En bouche l'attaque est agréable, douceâtre. Il laisse un goût sucré et fruité à l'avant du palais et des arômes de framboise sauvage et de baie de sureau. Sa finale est rafraîchissante.

Vignoble Carone
Lanoraie
Région : Lanaudière
450 887-2728 / 514 240-4220
www.vignoblecarone.com

LA PINTADE
de Janice Blanke et John Bastian

Passionnés de nature et adeptes d'une vie saine, Janice et John font l'élevage biologique de canards de Barbarie et de pintades. Cette volaille originaire d'Afrique offre une chair blanche, tendre et charnue, semblable à celle du poulet, mais son goût s'apparente à celui du faisan. Son rendement avantageux de viande par rapport à la carcasse en fait un mets prisé par les restaurateurs.

La Ferme Morgan
Weir
Région: Laurentides
819 687-2434
www.fermemorgan.com

LA TOMME DES JOYEUX FROMAGERS
d'Isabelle Couturier et Alain La Rochelle

Alain et Isabelle ont une égale passion pour l'élevage de la chèvre. La Tomme des joyeux fromagers, fabriquée avec le lait cru de leurs chèvres, porte la douceur des fourrages de cette région de la Haute-Beauce. Un fromage de dégustation à inclure au plateau et qui est également parfait pour la cuisson. Son goût à l'origine doux et légèrement caprin, avec des notes de beurre frais, évolue avec le temps pour prendre les caractéristiques plus marquées de la tomme.

Chèvrerie Fruit d'une passion
Saint-Ludger
Région : Mégantic
819 548-5705

LA GLACE AU THÉ VERT
de Robert Lachapelle

Les glaces et les sorbets du Havre aux glaces sont fabriqués sur place et sont offerts en une multitude de saveurs, au gré des arrivages de fruits frais et des saisons. Plus de soixante variétés sont proposées.

Havre aux glaces
Marché Jean-Talon
Région : Montréal
514 278-8696

LA COPPA
de Patrick Mathey et Joël Aucoin

La coppa des Cochons tout ronds est fabriquée selon la méthode corse et s'apparente à sa cousine italienne du même nom. Légèrement épicée au paprika et au poivre noir, cette échine de porc séchée peut se manger crue ou remplacer les lardons dans n'importe quelle recette.

Les cochons tout ronds
Cap-aux-Meules
Région : Îles-de-la-Madeleine
418 937-5444
www.cochonstoutronds.com

DENISE *CORNELLIER*

Passionnée, Denise Cornellier est toujours prête à se battre pour faire progresser la gastronomie haut de gamme au Québec. De cocktails en galas, en passant par de grands événements internationaux et en revisitant la boîte à lunch, la chef montréalaise au tempérament réservé a donné ses lettres de noblesse au métier de traiteur.

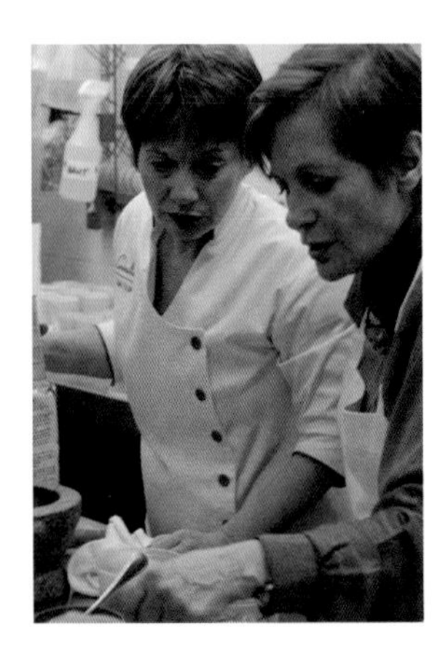

«C'est sa légèreté et un petit quelque chose de bien fini qui caractérise ma cuisine. Les habitués y reconnaissent facilement la touche Cornellier.»

Pendant ses études en psychologie, Denise Cornellier ne cesse de créer pour ses amis des dîners et des cocktails. Depuis toujours, sa tante Claire partage avec elle ses secrets culinaires et ses recettes, que la jeune Denise s'empresse de réinterpréter à sa façon. Petit à petit, elle se rend compte que ce passe-temps est devenu une véritable passion. À tel point qu'en 1980 elle laisse tomber la psycho et s'inscrit à l'Institut de tourisme et d'hôtellerie du Québec. En 1984, on lui octroie le Laurier d'Or, une distinction assortie d'une bourse d'études et d'une traversée de l'Atlantique à bord du *Jean-Mermoz*, un navire de croisière qui effectue la traversée Québec-Saint-Malo pendant les célébrations de Québec-1984.

Ce voyage ne peut pas mieux tomber, car Denise sait depuis un moment déjà qu'elle se destine au métier de traiteur gastronomique, pour lequel aucune formation n'est dispensée au Québec. À Paris, la jeune femme a la chance de faire des stages chez deux grands traiteurs parisiens: d'abord avec Patrick Lenôtre, au Pré Catelan, puis dans l'atelier de François Clerc. «En France, être Québécoise m'a ouvert les portes de cuisines réputées.» Ces stages la confortent dans son choix, mais, avant de s'établir à son compte, Denise Cornellier sait qu'elle a encore bien des choses à apprendre et qu'elle doit acquérir de l'expérience. Elle se voit alors offrir le poste de chef des cuisines et responsable des réceptions officielles à la Délégation générale du Québec à Paris, puis à celle de Rome.

De retour à Paris, un soir qu'elle dîne au restaurant Jamin, dans le 16e arrondissement, où brillent depuis deux ans les trois étoiles décrochées par le chef Joël Robuchon, elle est si impressionnée par ce qu'elle y découvre, notamment la noblesse et le raffinement des arts de la table, qu'elle décide de prolonger son séjour en France afin de parfaire sa formation. Cela la mène, entre autres, à Sarlat, dans le Périgord, où elle est initiée aux secrets du foie gras et de la truffe, qui deviendront ses produits fétiches.

Fin 1985, elle rentre à Montréal: elle se sent enfin prête à créer sa propre entreprise. Au départ, les clients de Cornellier Traiteur font surtout partie du milieu culturel. Puis, la qualité de sa cuisine et de son service, ainsi que la présentation recherchée des bouchées, entrées, plats, desserts et mignardises qu'elle propose ne tardent pas à attirer l'attention des grands acteurs des milieux de la politique, de l'industrie et de la finance. Elle livre des plats à domicile ou au bureau, et assure, avec sa très nombreuse brigade, la réussite des réceptions, petites et grandes. La voilà lancée.

Une partie du succès de Denise Cornellier tient au fait qu'elle établit un contact direct avec ses clients. La description passionnée qu'elle fait de ses créations donne envie de passer à table sur-le-champ! Sa feuille de route est impressionnante: dîners de gala, cocktails, bals des grandes institutions, comme le Musée d'art contemporain, l'Orchestre symphonique de Montréal ou le Centre des sciences, événements internationaux, comme le G 8 et le G 20...

Cornellier Traiteur a pignon sur le boulevard Saint-Laurent, à Montréal. Les deux étages sont réservés au personnel administratif ainsi qu'à des salles de réception. Mais le cœur de l'entreprise bat au rez-de-chaussée, où se trouvent la cuisine et la boutique, qui propose en permanence le fameux foie gras au torchon ou en verrine, des bouchées et des mets variés prêts à servir, ainsi que des conserves salées et sucrées dont la maison a fait sa spécialité. Les saveurs du monde s'y épanouissent, révélant les inspirations que Denise ramène de ses nombreux voyages: Espagne, Italie, Singapour, Bangkok, Hong Kong...

Depuis le début des années 2000, Denise Cornellier offre des ateliers culinaires animés par des spécialistes. Par exemple, la fine cuisine française est le champ d'action de Rollande Desbois, la cuisine au whisky écossais, celui de la Française Martine Nouet, la cuisine indienne est le territoire de Louise Latraverse, et Denise se réserve le foie gras et les bouchées fines.

CORNELLIER TRAITEUR
Cuisine du Québec et du monde

5354, boulevard Saint-Laurent
Montréal
514 272-8428
www.cornelliertraiteur.com

SURF & TURF DE FOIE GRAS ET DE HOMARD, MOUSSELINE DE ROQUETTE

Pour 4 personnes

Préparation: 1 h
Cuisson: 1 min

Ingrédients

4 escalopes de foie gras de canard
12 tranches minces de canard séché du marché
12 gésiers confits du marché, tranchés finement
4 pinces de homard, cuites et décortiquées
125 ml (½ tasse) d'*edamame** cuits dans l'eau salée
1 avocat, coupé en dés
80 ml (⅓ tasse) d'huile de homard
4 pincées de fleur de sel
2 asperges coupées en fines bandes
Sel et poivre

mousseline de roquette
500 g de roquette, lavée et hachée grossièrement
100 ml (⅓ tasse) de crème 35%
45 ml (3 c. à soupe) de beurre
Sel et poivre

- Pour la mousseline, blanchir la roquette quelques secondes dans l'eau bouillante salée; l'égoutter et la réduire en purée au mélangeur. Incorporer la crème et le beurre; tourner jusqu'à consistance lisse. Saler et poivrer. Réserver au réfrigérateur.
- Cuire le foie gras à la dernière minute: chauffer une poêle à surface antiadhésive, ajouter une noisette de beurre et y dorer à feu vif les escalopes de foie gras pendant 30 secondes de chaque côté (le foie gras de canard se sert rosé, il fond à la cuisson). Réserver.
- Disposer la mousseline de roquette au centre des assiettes. Y déposer les dés d'avocat et ajouter en superposition les gésiers confits, les *edamame*, les pinces de homard, l'huile de homard puis le foie gras. Saupoudrer de fleur de sel et surmonter d'un ruban d'asperge. Servir aussitôt.

* Les *edamame* sont une variété de fève de soya, cueillies avant leur maturité.

SUPRÊME DE CANARD ET PURÉE SAINT-GERMAIN, SAUCE BORDELAISE

Pour 4 personnes

Préparation: 25 min
Cuisson: 20 min
Repos: 30 min

Ingrédients

4 magrets de canard
Sel de mer ou fleur de sel et poivre
2 pommes de terre à chair jaune (Yukon Gold)
50 g (⅓ tasse) de pois verts
50 g (⅓ tasse) d'*edamame*
1 petit oignon haché
1 gousse d'ail pelée
2 tiges de thym frais ou 2,5 ml (½ c. à thé) de thym séché
30 ml (2 c. à soupe) de crème 35%
4 mini pâtissons jaunes
4 mini pâtissons verts
4 petits oignons rouges ou blancs, pelés
4 carottes boules, pelées
150 ml (⅔ tasse) de fond de veau ou de volaille
23 ml (1 ½ c. à soupe) de beurre
15 ml (1 c. à soupe) de sucre

Sauce bordelaise
1 L (4 tasses) de fond de veau (ou de canard ou autre)
125 ml (½ tasse) de vin rouge (Bordeaux ou autre)
1 échalote française, hachée
37 ml (2 ½ c. à soupe) de beurre
Sel et poivre au goût

- Préchauffer le four à 180 °C (250 °F).
- Assaisonner la chair du magret, faire saisir côté peau pour bien colorer. Retourner le magret côté chair et faire dorer pendant 1 minute. Terminer au four jusqu'à la cuisson désirée (10 minutes pour une viande saignante, 15 minutes pour une viande à point).
- Laisser reposer 30 minutes avant de découper.
- Cuire les pommes de terre dans l'eau salée. Égoutter, passer au presse-purée et réserver au chaud.
- Faire suer les oignons au beurre et à l'huile d'olive avec le thym. Ajouter l'ail vers la fin, ainsi que les petits pois et les *edamame*. Couvrir avec la crème; porter à ébullition, réduire le feu et cuire à couvert 5 minutes. Réduire en purée au mélangeur, saler et poivrer; passer au chinois si désiré.
- Mélanger, à chaud, les purées de pommes de terre et d'oignons. Rectifier l'assaisonnement.
- Blanchir les petits légumes. Les sauter dans le beurre pour colorer légèrement. Déglacer avec le fond de veau, ajouter le sucre; faire réduire en prenant soin de garder les légumes croquants.

Sauce bordelaise

- Faire suer les échalotes avec 1 cuillerée de beurre. Déglacer avec du vin rouge et laisser réduire au ¾. Ajouter le fond de veau ou de canard et réduire jusqu'à consistance désirée.
- Hors du feu, incorporer le beurre en tournant.
- Déposer la purée au centre des assiettes plates préchauffées. Y dresser le magret de canard taillé en aiguillettes puis les légumes; napper de sauce. Finir avec une pincée de fleur de sel.

POIRES POCHÉES FARCIES AU CHOCOLAT NOIR

Pour 4 personnes

Préparation: 30 min
Cuisson: 15 à 30 min
Temps de repos: 12 heures

Ingrédients

4 poires Bosc à chair ferme, pelées
165 ml (⅔ tasse) de sucre
750 ml (3 tasses) de vin rouge
5 ml (1 c. à thé) d'essence de vanille ou 1 gousse de vanille
Zeste de 1 orange
Zeste de 1 citron
1 anis étoilé

Ganache

165 ml (⅔ tasse) de crème 35%
225 g (1 ½ tasse) de chocolat noir défait en morceaux
30 ml (2 c. à soupe) de beurre non salé

- Éplucher les poires et les évider par le fond en prenant soin de bien retirer le cœur.
- Chauffer la crème au point d'ébullition, retirer du feu et incorporer le chocolat en tournant doucement jusqu'à ce qu'il soit fondu. Incorporer le beurre. Placer un papier film directement sur le mélange et laisser tiédir.
- Dans une petite casserole, porter à ébullition le sucre, le vin rouge, la vanille, les zestes et l'anis étoilé. Y déposer les poires entières et laisser mijoter à feu doux jusqu'à ce qu'elles soient tendres, de 10 à 30 minutes selon la maturation du fruit.
- Retirer du feu et laisser reposer une nuit au réfrigérateur. Égoutter les poires et faire réduire le liquide jusqu'à consistance d'un sirop léger. Laisser tiédir.
- À l'aide d'une poche à douilles, remplir de ganache la cavité des poires.
- Verser le jus de cuisson au fond d'une assiette creuse, y disposer une poire et servir.

LE FOIE GRAS
de Pascal et Francette Fleury

Natifs de la région des Landes, le cœur de la région française du foie gras, les Fleury s'installent au Québec en 1983. En 1996, en marge de la production agricole, sur leur propriété de Carignan, Francette monte un atelier d'élevage et de gavage de canards mulards. En moins de dix ans, La Ferme Palmex connaît un essor foudroyant. Elle a sa propre usine de transformation où on prépare le foie gras frais, style torchon, les terrines et les pâtés.

La ferme Palmex
Marieville
Région: Montérégie
450 460-2963
www.palmex.ca

LA PRUNE DE DAMAS
de Paul-Louis Martin

Il y a une trentaine d'années, Paul-Louis Martin s'est donné le défi de restaurer un vieux verger, aménagé au 19e siècle par un grand marchand rural, Sifroy Guéret dit Dumont. On y dénombrait environ 1000 pruniers de Damas, des dizaines de pommetiers et de pommiers, des cerisiers et des amélanchiers. La Maison de la Prune voit le jour en 1992 et décline, depuis, la prune de Damas en plusieurs douceurs: gelées, confitures, coulis…

La Maison de la Prune
Saint-André-de-Kamouraska
Région: Bas-Saint-Laurent
418 493-2616

L'HUILE DE HOMARD
de Régis Hervé et Guy Thibodeau

Régis Hervé, chef cuisinier, et Guy Thibodeau, ancien aubergiste, ont lancé Les Saveurs oubliées en 1995. Les produits de Charlevoix sont transformés en confitures, gelées, chutneys, huiles, vinaigres, pâtés, terrines ou rillettes. L'huile de homard est obtenue par l'infusion de carcasses de homard dans l'huile de canola des Cantons-de-l'Est pendant trois semaines.

Les Saveurs oubliées
Les Éboulements
Région: Charlevoix
418 635-9888
www.saveursoubliees.com

LA CRÈME DE CASSIS
De Monna et filles

Originaire des Cévennes, Bernard Monna, liquoriste de quatrième génération, s'établit à Saint-Pierre-de-l'île-d'Orléans, où il devient le premier producteur de cassis (gadelle noire) au Québec. Il perpétue ainsi la tradition familiale entreprise par son arrière-grand-père. La relève est assurée par ses filles, Anne et Catherine. La petite baie sert à l'élaboration de plusieurs produits, alcoolisés ou non, dont le Madérisé qui, comme son nom l'indique, utilise le procédé de fermentation des vins de madère, le Capiteux, un vin fortifié qui est fabriqué comme les portos, et le Fruité, un vin apéritif aux arômes relevés.

Cassis Monna & Filles
Saint-Pierre-de-l'Île-d'Orléans
Région: Québec
418 828-2525
www.cassismonna.com

LE CRABE TOURTEAU
des côtes gaspésiennes

Le crabe tourteau, aussi appelé crabe commun ou petit crabe de roche, est un produit encore marginal. La demande est faible, car le crabe tourteau offre moins de chair que le crabe des neiges. C'est un crabe solidement bâti, brun-roux sur le dos et presque blanc sous le ventre. Les pattes sont d'un rouge plus prononcé et les pinces sont noires. Le tourteau pèse jusqu'à 6 kg et peut mesurer plus de 25 cm de largeur. Le crustacé qui est pêché est principalement destiné au marché américain. Un produit à découvrir ou redécouvrir.

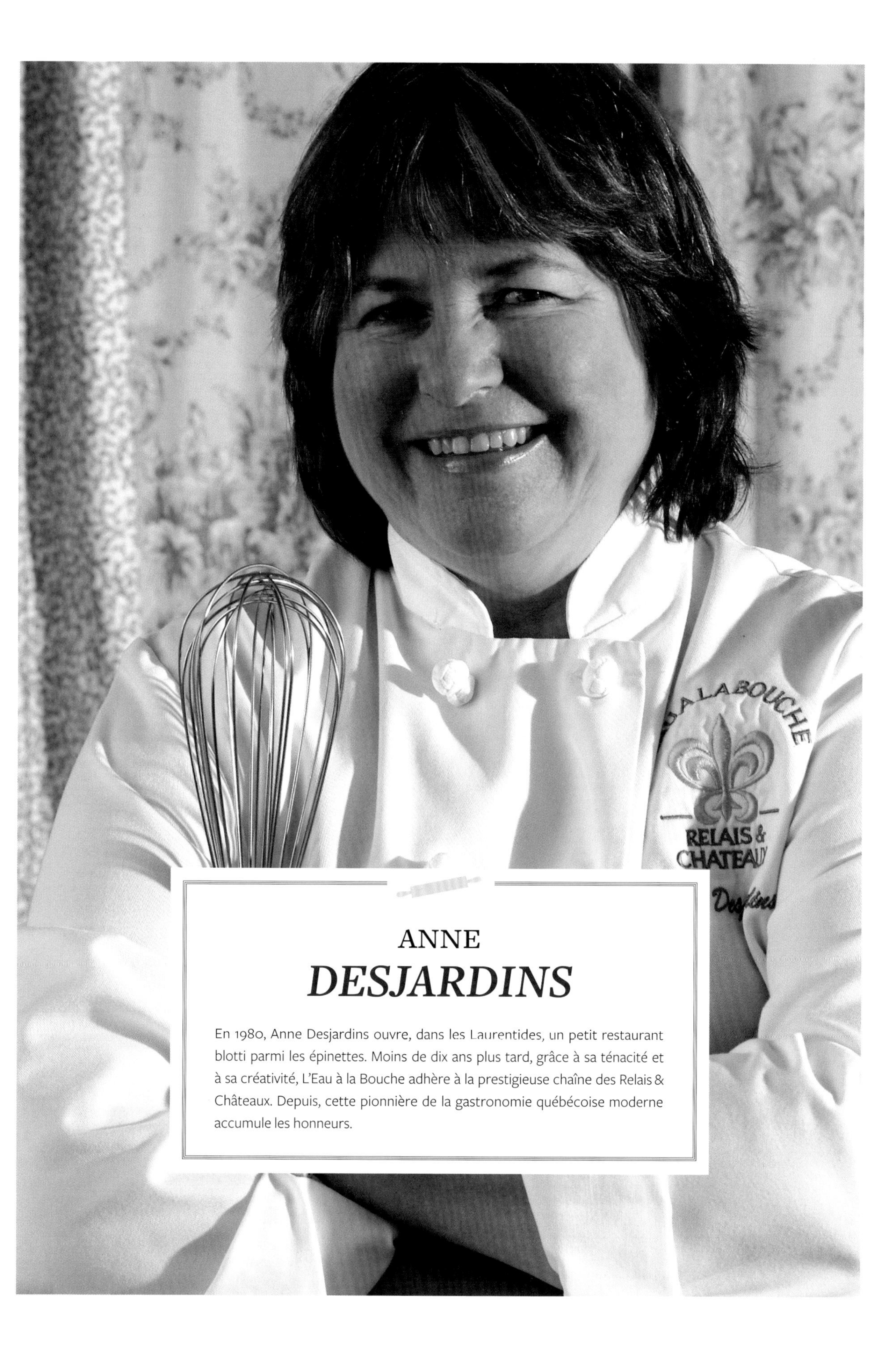

ANNE
DESJARDINS

En 1980, Anne Desjardins ouvre, dans les Laurentides, un petit restaurant blotti parmi les épinettes. Moins de dix ans plus tard, grâce à sa ténacité et à sa créativité, L'Eau à la Bouche adhère à la prestigieuse chaîne des Relais & Châteaux. Depuis, cette pionnière de la gastronomie québécoise moderne accumule les honneurs.

« Je compare souvent mon métier au théâtre. Un chef doit, tout comme un comédien, connaître son texte, sa recette. »

Jeune adulte, Anne Desjardins pense sérieusement devenir géographe. Elle obtient même un baccalauréat de l'Université du Québec à Montréal. Mais rien ne la rend plus heureuse que de faire à manger pour ses amis. Elle ne tarde pas à se rendre à l'évidence: sa véritable passion, c'est la cuisine. Depuis toujours. Depuis qu'enfant, sa grand-mère Raymonde lui demandait: «Qu'est-ce que mamie fait mijoter aujourd'hui?» et que rares étaient les fois où la petite Anne ne devinait pas juste.

Son talent est remarquable et Pierre Audette, son camarade d'études et compagnon de vie, l'encourage dans cette voie. Au mois de décembre 1979, ils achètent une petite maison bavaroise située à Sainte-Adèle, dans les Laurentides. Quelques mois plus tard, L'Eau à la Bouche ouvre ses portes à une clientèle essentiellement composée de skieurs.

À l'époque où Anne Desjardins se lance dans la restauration, la cuisine qui prévaut au Québec, comme dans toute l'Amérique du Nord, est la «continentale». S'il y a bien dans les Laurentides quelques restaurants réputés, on y fait une cuisine classique où l'innovation n'a guère de place. Anne décide donc de s'envoler pour l'Europe afin de parfaire ses connaissances: elle participe à différents stages et suit des cours à la Fondation Escoffier. Une tournée en France, au début des années 1980, lui permet de côtoyer de grands pontes de la gastronomie, dont Gérard Vié, Michel Lorain et Jacques Le Divellec.

Elle revient à Sainte-Adèle forte d'une certitude: pour offrir à table ce qu'il y a de meilleur, les produits doivent être de première qualité. Elle n'a alors de cesse de faire découvrir à une clientèle de plus en plus nombreuse la diversité des produits des Laurentides, dont elle connaît à fond les nombreux trésors: «Ma région est mon jardin», se plaît-elle à répéter. C'est donc l'abondance laurentienne qui s'exprime à sa table: feuilles d'érythrone (ail sauvage), jeunes pousses de quenouille, têtes de violon, champignons des bois, boutons d'asclépiades, hydromel, sarrasin, orge, topinambours et riz sauvage (zizanie des marais). Elle s'inspire parfois des techniques amérindiennes, qui, pour elle, font partie de notre patrimoine culinaire, pour la conservation par salage ou par fumage des poissons.

L'Eau à la Bouche ne tarde pas à s'afficher au carnet des bonnes tables du Québec. En 1989, il devient membre de la prestigieuse chaîne des Relais & Châteaux. Rien de moins. En 1996, 1997 et 1998, le *Gourmet Magazine* et *America's Top Tables* consacrent sa table comme la meilleure de la région de Montréal. En 1998, on lui attribue le titre de Table d'or du Québec au gala des Grands Prix du tourisme québécois. Et en 2001, L'Eau à la Bouche est reconnu comme Relais Gourmand. Dans la longue liste des honneurs qu'elle a mérités, il y en a un dont Anne est particulièrement fière: le titre de Chevalier de l'Ordre du Québec, qu'elle a reçu en 2006 et qui venait souligner son apport innovateur à la gastronomie québécoise et sa contribution à son rayonnement dans le monde.

Grâce à sa ténacité, Anne Desjardins a atteint son rêve de devenir un chef reconnu par ses pairs, à une époque où les femmes n'étaient pas légion dans la haute gastronomie. Elle est aujourd'hui une référence pour les jeunes chefs, hommes et femmes. Comme son fils Emmanuel, à qui elle a transmis son talent et sa créativité, et qui travaille avec elle depuis plusieurs années.

En plus de faire de la télévision (*Par-dessus le marché*, à TVA), Anne Desjardins a publié en 2003 un merveilleux ouvrage, qui restera certainement une source d'inspiration pour les générations futures. *L'Eau à la Bouche – Les 4 saisons selon Anne Desjardins* relate le cheminement de cette femme chef respectée de tous qui a su nous initier à l'utilisation des produits de notre terroir et qui a ouvert toutes grandes aux femmes les portes de la profession.

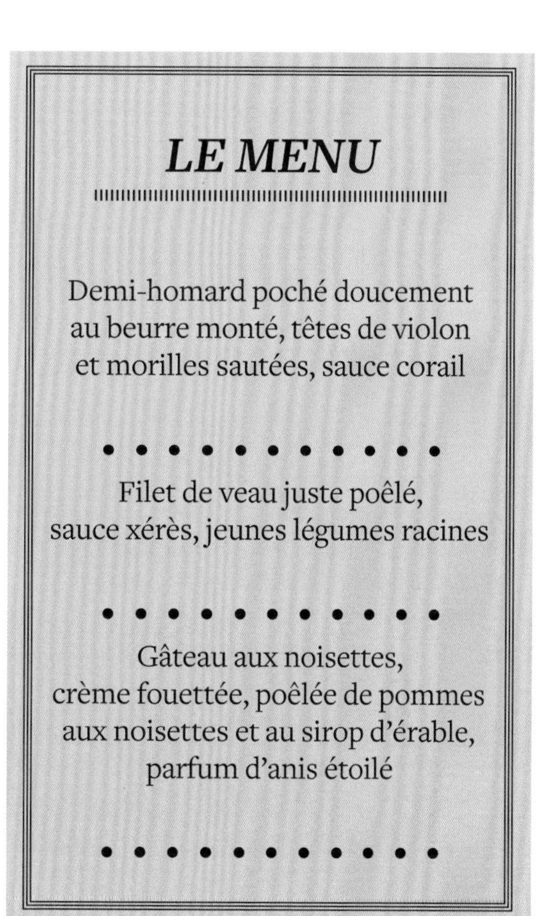

L'EAU À LA BOUCHE

Cuisine du Québec

3003, boulevard Sainte Adèle
Sainte-Adèle
450 229-2991
www.leaualabouche.com

DEMI-HOMARD POCHÉ DOUCEMENT AU BEURRE MONTÉ, TÊTES DE VIOLON ET MORILLES SAUTÉES, SAUCE CORAIL

Pour 4 personnes

Préparation: 1 h
Cuisson: 10 min

Ingrédients

2 homards de 750 g (1 ½ lb) chacun
450 ml (1 ¾ tasse) d'eau
150 g (⅓ lb) de beurre doux, coupé en cubes
Sel au goût
Sauce Tabasco au goût
20 grosses morilles fraîches ou séchées réhydratées, nettoyées
½ blanc de poireau haché
12 têtes de violon blanchies dans 3 eaux et cuites *al dente* (ou des asperges blanchies, taillées en biseau)

- Faire bouillir de l'eau dans une grande casserole; y plonger les homards pendant 4 minutes à feu éteint. Les retirer et en détacher les coffres ainsi que les queues; jeter ces dernières dans de l'eau glacée. Remettre les pinces dans l'eau bouillante pendant encore 5 minutes, puis les plonger elles aussi dans de l'eau glacée – les carapaces sont à peine rouges.
- Égoutter et décortiquer les homards en conservant la forme naturelle des chairs, couper les queues en deux dans le sens de la longueur, réserver au froid ainsi que les parties intérieures et les œufs, s'il y en a.
- Faire bouillir l'eau; hors du feu, y incorporer le ¾ des cubes de beurre en fouettant doucement. Saler généreusement, ajouter quelques gouttes de Tabasco. Déposer la casserole sur un bain-marie, ajouter les morceaux de homard et laisser pocher à feu doux pendant cinq minutes, jusqu'à ce que la chair soit cuite.
- Pendant ce temps, faire fondre le reste du beurre et y faire revenir les morilles et le poireau pendant quelques minutes à feu moyen. Au dernier moment ajouter les têtes de violon; saler.
- Prélever 150 ml (⅔ tasse) de beurre monté et y incorporer 60 ml (¼ tasse) des parties intérieures et des œufs; fouetter doucement, goûter et rectifier l'assaisonnement.
- Disposer les légumes sur les assiettes chaudes. Superposer une queue et une pince de homard. Napper de sauce et servir aussitôt.

FILET DE VEAU JUSTE POÊLÉ, SAUCE XÉRÈS, JEUNES LÉGUMES RACINES

Pour 4 personnes

Préparation: 30 min
Cuisson: 15 min

Ingrédients

1 filet de veau entier de 300 g ou 4 médaillons de filet de veau de 75 g
8 jeunes carottes
4 racines de persil
8 jeunes raves
12 petits oignons blancs (*cipollini* si possible)
Persil haché
Beurre
30 ml (2 c. à soupe) de vinaigre de xérès
100 ml (1/3 tasse) de xérès
100 ml (1/3 tasse) de fond de veau
Sel au goût
Quelques tiges de thym

- Blanchir et rafraîchir les légumes; les réserver.
- Poêler le filet ou les médaillons de veau dans un peu de beurre quelques minutes de chaque côté; saler. Retirer et réserver au chaud.
- Déglacer la poêle avec le vinaigre et le vin de xérès; ajouter le fond de veau; réduire de moitié, vérifier et rectifier l'assaisonnement; ajouter une noix de beurre en tournant.
- Dans un autre poêlon, faire revenir les légumes racines blanchis dans un peu de beurre; saler, ajouter le persil haché et des tiges de thym.
- Sur des assiettes chaudes, disposer joliment les légumes racines et les médaillons de filet de veau. Napper de sauce et décorer de tiges de thym frais.

GÂTEAU AUX NOISETTES, CRÈME FOUETTÉE, POÊLÉE DE POMMES AUX NOISETTES ET AU SIROP D'ÉRABLE, PARFUM D'ANIS ÉTOILÉ

Pour 8 personnes

Préparation: 20 min
Cuisson: 15 min

Ingrédients

5 jaunes d'œufs
60 g (⅓ tasse) de sucre
250 ml (1 tasse) de noisettes moulues
22 ml (4 c. à thé) de farine
15 ml (1 c. à soupe) de poudre à pâte (facultatif)
5 blancs d'œufs
60 g (⅓ tasse) de sucre

Poêlée de pommes

4 pommes à cuire (Empire ou Cortland)
60 g (¼ tasse) de beurre
45 ml (3 c. à soupe) de noisettes broyées grossièrement
1 pincée d'anis étoilé moulu
75 ml (5 c. à soupe) de sirop d'érable

Crème fouettée

150 ml (½ tasse) de crème à fouetter
15 ml (1 c. à soupe) de sucre d'érable (ou sucre de canne)
1 pincée d'anis étoilé moulu

- Préchauffer le four à 200 °C (400 °F).
- Recouvrir de papier parchemin beurré un moule rectangulaire de 30 × 20 × 5 cm (12 × 8 × 2 po).
- Dans un grand bol, battre les jaunes d'œufs et le sucre jusqu'à ce le mélange blanchisse et soit mousseux; incorporer délicatement les noisettes moulues, la farine et la poudre à pâte. Dans un autre bol, battre les blancs en neige avec le sucre; incorporer à la cuillère progressivement (en trois ajouts) et délicatement à l'autre mélange.
- Sans attendre, étaler la préparation dans le moule et cuire au four 15 minutes environ. Refroidir et démouler sur une grille. Réserver.
- Peler et épépiner les pommes; les couper en tranches. Faire fondre un peu de beurre et y caraméliser les pommes et les noisettes broyées. Ajouter l'anis étoilé et le sirop d'érable; laisser réduire et incorporer une cuillerée de beurre.
- Fouetter la crème avec le sucre d'érable et l'anis étoilé.
- Disposer les pommes sur une assiette avec un morceau de gâteau aux noisettes. Accompagner de la crème fouettée.

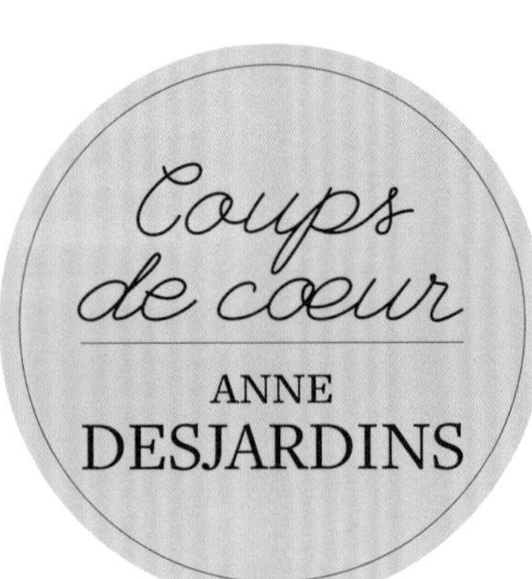

LES CHAMPIGNONS SAUVAGES ET LES CHAMPIGNONS LAURENTIENS
de Fernand Miron

La forêt boréale de l'Abitibi est riche en champignons de toutes sortes: morilles, chanterelles, cèpes et bolets. En plus de se spécialiser dans la cueillette de ces champignons sauvages, le biologiste Fernand Miron produit, dans son laboratoire, des semences liquides à la base de plusieurs espèces cultivées: pleurote boréal, pleurote érigé ou pleurote mini bleu, shimeji ou hydne à tête d'ours. Ses champignons sont certifiés biologiques.

Les Champignons laurentiens
de Fernand Miron
Berry
Région: Abitibi-Temiscamingue
819 732-7925

LE CAVIAR D'ESTURGEON D'ABITIBI
de la famille Duranseau

Le caviar d'esturgeon qui se récolte en Abitibi se classe parmi les meilleurs au monde. Les Duranseau sont les seuls détenteurs d'un permis de pêche commerciale et de transformation de l'esturgeon jaune. La famille Duranseau s'implique dans la confection du caviar depuis cent ans. La qualité de l'eau abitibienne ainsi que les fonds rocheux des lacs où s'effectue la pêche garantissent des œufs aux arômes suaves et doux, sans arrière-goût de vase. Le caviar d'esturgeon d'Abitibi est gris foncé, presque noir, avec une légère teinte verdâtre; son odeur est très fine; sa saveur est douce, légèrement salée, avec une petite amertume qui crée un équilibre; les arômes se développent longuement en bouche.

Marché Transatlantique
Montréal
514 287-3530
www.marchetransatlantique.com

SEYVAL-CHARDONNAY
de Michael Marler et Véronique Hupin

Le seul Chardonnay du terroir québécois, vinifié en barrique selon les traditions bourguignonnes. Vieilli en fûts de chêne français et américain, ce vin blanc sec tout en rondeur, à la robe couleur paille, révèle un bouquet de poires, de miel et d'anis. La bouche est beurrée avec une finale massepain. Le vignoble, certifié biologique et biodynamique, a vu le jour en 1991 avec les premiers ceps de seyval blanc, suivis en 1992 par les plants de Chardonnay importés de France. Propriétaires depuis le printemps 2000, Véronique Hupin et Michael Marler se sont donné pour mission de produire des vins de qualité en utilisant des méthodes innovatrices et traditionnelles autant dans les champs que dans le chai. Michael est diplômé en agriculture de l'Université McGill, avec échange à l'École supérieure d'agriculture de Purpan dans le sud de la France.

Vignoble des Pervenches
Farnham
Région: Estrie
450 293-8311
www. lespervenches.com

LES MIELS D'ANICET ET L'HYDROMEL LA CUVÉE DE LA DIABLE
de Marie-Claude Dupuis et Claude Desrochers

Marie-Claude Dupuis et Claude Desrochers ont fondé la Ferme apicole Desrochers il y a plus de 25 ans déjà. Aujourd'hui, leur fils Anicet a pris la relève de la production de miel, certifié biologique, tandis qu'ils s'occupent de la production d'hydromel aux noms évocateurs: L'Envolée blanc, le Marie-Clos, l'Envolée, Ainsi fût la bulle. La Cuvée de la Diable (faisant référence à la rivière qui coule à Ferme-Neuve) est un hydromel liquoreux à la robe couleur miel clair légèrement ambré. Peu ou pas de larmes, odeur fraîche, vineuse et légère. En bouche, l'attaque est fraîche et sucrée, sans l'être trop, et laisse place à des arômes de miel légèrement boisés. La Cuvée de la Diable est vieillie en fût de chêne de 36 à 48 mois et son taux d'alcool est de 15%.

Ferme apicole Desrochers
Ferme-Neuve
Région: Laurentides
819 587-3471
www.desrochersd.com
www.api-culture.com

FISUN
ERCAN

Le nom de Fisun Ercan circule à Montréal depuis déjà quelques années. Elle a relevé un grand pari: faire connaître et aimer la cuisine de son pays, la Turquie, telle qu'elle la conçoit. Son restaurant s'appelle Su, un mot qui, dans sa langue, veut dire «eau» .

« Chacun de mes plats a une histoire ; un souvenir y est attaché... »

Fisun Ercan est née à Izmir, en Turquie, une région baignée par la mer Égée, dont le climat favorise des récoltes abondantes ainsi que l'émergence d'une cuisine saine et savoureuse. Son père est producteur de mandarines. C'est un épicurien qui admire et soutient le talent culinaire de son épouse, Hatice, dont les plats exaltent les saveurs de la figue, de la grenade, du fenouil, de l'ail, du coing et de tant d'autres fruits et légumes gorgés de chaleur et de soleil. Fisun a l'impression d'avoir toujours su cuisiner. «Je ne me rappelle pas à quel âge j'ai commencé, mais à huit ans je cuisinais parfaitement. Ma mère avait beau m'éloigner de la cuisine, j'y revenais invariablement...»

Fisun Ercan émigre au Canada en 1998 et, même si elle ne maîtrise pas la langue française, elle a un coup de foudre pour Montréal et choisit de s'y établir. Diplômée en économie et en finance, elle apprend le français et suit une formation en informatique, mais, très vite, elle sait que c'est de sa passion pour la cuisine qu'elle a envie de vivre. Elle étudie donc en gestion hôtelière au Collège LaSalle et démarre un service de traiteur à partir de la cuisine de son appartement de l'Île-des-Sœurs. La clientèle de Fisun Ercan profite de bas prix car, selon ses dires, elle préfère «donner à manger que de vendre à manger». Le mot se passe et bien vite l'affluence des commandes l'oblige à partir en quête d'un endroit où transporter ses casseroles. Elle le repère rue Wellington, à Verdun. L'endroit peut accueillir 60 convives, c'est plus qu'il n'en faut pour qu'elle choisisse d'y rester et de se consacrer aux métiers de traiteur, de restauratrice et de chef spécialisée en cuisine turque et méditerranéenne. Tulga Kalayci, son mari et compatriote, officie comme maître d'hôtel.

La cuisine de Fisun Ercan est tissée des couleurs, des textures et des saveurs de son pays, qu'elle a transposées au Québec sans les altérer. «Je prépare une cuisine turque authentique avec les ingrédients que l'on trouve ici, et j'y ajoute quelques petites touches créatives afin de la moderniser et de l'alléger.» Le succès de Su est rapide. Après les Turcs, qui viennent savourer les mets de leur enfance, après les Grecs, les Libanais et les Arméniens, qui partagent un éventail culinaire semblable, les Verdunois, les critiques gastronomiques et les amateurs de saveurs exotiques de tous les horizons envahissent les lieux.

Les Turcs se targuent de savoir composer 300 mézés différents, toujours savamment simples et proches des saveurs naturelles. Fisun Ercan respecte cette tradition. Ainsi en va-t-il des crudités assaisonnées d'un rien de yaourt et de menthe fraîche, du poulet accompagné de noix de Grenoble, du fromage Kaseri pané et poêlé, de l'agneau aux oignons caramélisés... Fisun Ercan fait également revivre d'anciennes préparations ottomanes dont la seule description met l'eau à la bouche: l'*afrodizyak tavuk*, une escalope de poulet de grain rôtie, servie avec une sauce aphrodisiaque aux fruits secs, poivrons rouges et amandes grillées, accompagnée de riz pilaf ou de boulgour, le *tavsan yahnisi*, une cuisse de lapereau braisée, sauce aux raisins noirs frais et aux épices, le *dana ciger kizartma*, un foie de veau à la sauce grenadine et aux oignons rouges. «Chacun de mes plats a une histoire, une mémoire qui y est accrochée.»

Au printemps 2009, Fisun Ercan et Thierry Baron, chef propriétaire du Vertige, qui a des racines françaises, grecques et turques, ont organisé un dîner franco-turc qui a propulsé le petit restaurant de la rue Wellington parmi les tables importantes de Montréal. Depuis, Fisun compte parmi les chroniqueurs culinaires spécialisés. On l'a vue à *Bon Matin* et à *Kampaï!* Elle rédige également des articles et des recettes pour *Lezzet*, un magazine à grand tirage consacré aux arts de la table et à la gastronomie, distribué à travers la Turquie.

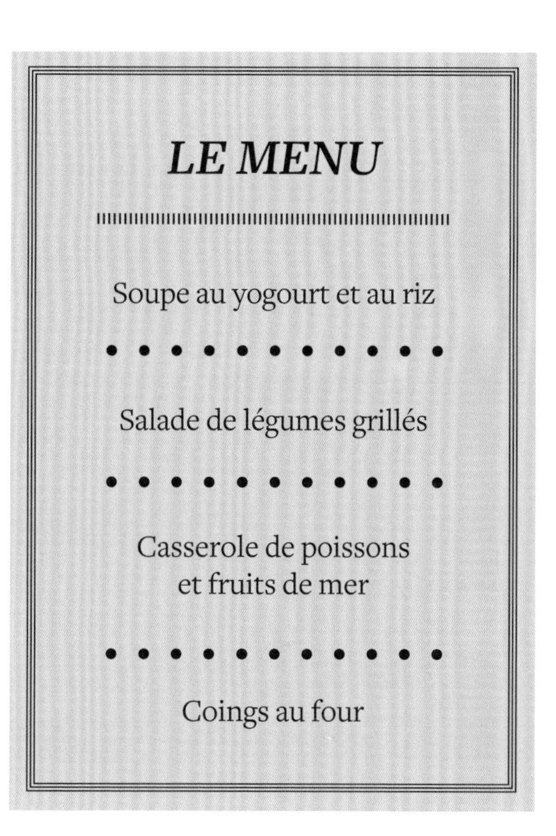

SU
Cuisine turque

5145, rue Wellington
Verdun
514-362-1818
www.restaurantsu.com

SOUPE AU YOGOURT ET AU RIZ

Pour 4 personnes

Préparation: 10 min
Cuisson: 25 min

Ingrédients

50 g (¼ tasse) de riz
250 ml (1 tasse) d'eau
500 ml (2 tasses) de yogourt
30 ml (2 c. à soupe) de farine
1 œuf
1 L (4 tasses) d'eau
Sel de mer

Garniture
30 ml (2 c. à soupe) de beurre
5 ml (1 c. à thé) de menthe séchée

- Faire cuire le riz dans 250 ml d'eau pendant 20 minutes environ. Pendant ce temps, bien mélanger le yogourt, la farine et l'œuf dans un bol.
- Incorporer au riz cuit ainsi que le litre d'eau. Amener doucement à ébullition en remuant à l'aide d'une cuillère de bois; retirer du feu au premier bouillon; saler au goût.
- Faire fondre le beurre dans un petit poêlon et y ajouter la menthe séchée. Verser immédiatement sur la soupe et servir chaud dans des assiettes creuses.

SALADE DE LÉGUMES GRILLÉS
Pour 4 personnes

Préparation: 30 min
Cuisson: 25 minutes environ

Ingrédients

1 aubergine moyenne
de 250 g environ
1 tomate
1 oignon rouge, coupé en deux
1 à 2 poivrons verts cubains
(cubana, la peau est moins épaisse)
2 gousses d'ail, pelées
15 ml (1 c. à soupe) de persil haché

Vinaigrette
15 ml (1 c. à soupe) de vinaigre
de vin blanc
15 ml (1 c. à soupe) de jus de citron
125 ml (½ tasse) d'huile d'olive
Quelques feuilles de menthe

- Inciser la peau de l'aubergine. En Turquie, on fait griller les aubergines entières.
- Faire griller les légumes (aubergine, tomate, oignon coupé en deux, poivrons), sans les éplucher, au barbecue ou au four. Laisser cuire environ 10 minutes à couvert ou 20-25 minutes sur la grille du barbecue.
- Déposer dans un bol, couvrir de papier film et laisser refroidir.
- Peler les légumes à la main (la peau se détachera facilement) et épépiner. Prélever la chair de l'aubergine. Découper les légumes en gros cubes. Presser l'ail, ajouter le citron, le vinaigre et l'huile; incorporer la menthe fraîche ciselée.
- Disposer les légumes dans un plat de service. Verser la vinaigrette sur les légumes et saupoudrer de persil haché.

CASSEROLE DE POISSONS ET FRUITS DE MER

Pour 4 personnes

Préparation: 15 min
Cuisson: 10 min

Ingrédients

1,5 L (6 tasses) de fumet de poisson
1 kg (2 lb) de poisson à chair blanche, coupé en tranches de 2,5 cm (1 po) d'épaisseur
16 crevettes décortiquées
16 moules, lavées et ébarbées
10 à 12 pétoncles
25 ml (5 c. à thé) d'huile d'olive
2 tomates, pelées, épépinées et coupées en petits dés
2 poivrons verts de type hongrois, coupés en petits dés
2 pommes de terre, pelées et coupées en petits dés
Un peu de thym
2 feuilles de laurier
30 ml (2 c. à soupe) de crème 35%
1 pincée de curcuma pour la couleur (facultatif)
Sel et poivre

- Préparer les poivrons hongrois et les tomates. Chauffer l'huile d'olive dans une casserole avec les feuilles de laurier, le thym et le curcuma, ajouter les tomates et les poivrons; sauter 5 minutes à feu doux, ajouter les cubes de pomme de terre puis verser le fumet de poisson et la crème. Cuire jusqu'à ce que les pommes de terre soient tendres.
- Ajouter les tranches de poisson, les moules, les crevettes et les pétoncles. Saler et poivrer, ajouter le curcuma si désiré; cuire doucement 5 minutes environ ou jusqu'à ce que le poisson et les fruits de mer soient cuits; éviter de trop cuire.
- Verser dans des assiettes creuses. Servir chaud.

COINGS AU FOUR

Pour 4 personnes

Préparation: 5 minutes
Cuisson: 30 à 35 minutes

Ingrédients

4 coings bien mûrs
(ou pommes ou poires)
250 ml (1 tasse) de sucre
2 à 3 bâtonnets de cannelle
5 à 6 clous de girofle
250 ml (1 tasse) d'eau
100 ml (⅓ tasse) de crème à fouetter

- Préchauffer le four à 200 °C (400 °F).
- Peler les coings; les évider et les couper en deux (facultatif), les disposer dans un plat allant au four.
- Mélanger le sucre, la pelure et les pépins des coings, les bâtonnets de cannelle ainsi que les clous de girofle, ajouter l'eau. Verser sur les coings et couvrir avec un papier d'aluminium.
- Enfourner et cuire de 30 à 35 minutes en arrosant les coings à plusieurs reprises.
- Laisser refroidir.
- Servir dans une assiette creuse avec une cuillère de crème légèrement fouettée sur chaque coing et dresser avec le jus de cuisson tamisé.

LA CARMINÉE DU TERROIR
de Margareth Pagé

Réduction lente de moût de pommes jusqu'à consistance d'un sirop épais. En bouche, se développe un goût de pomme complexe, riche en tanin et rehaussé d'une pointe de douceur se terminant par une sensation agréable de caramel acidulé. Se marie avec le porc, le gibier ou le magret de canard. Parfume délicatement sauces et marinades. Rehausse une glace à la vanille... La Carminée sert à la confection du Rubicond, un vinaigre doux amer subtilement parfumé.

Au Verger du Clocher
Saint-Antoine-Abbé
Région: Montérégie
450 827-1147
www.auvergerduclocher.com

LA BASTURMA QUÉBÉCOISE
de Phoenicia

La basturma est une viande séchée qui vient d'Arménie. Le filet de bœuf est salé, pressé puis séché. On le recouvre d'une pâte à base de paprika, assaisonnée à l'ail et aux épices, qu'il est préférable de retirer avant de consommer. La viande prend une teinte rougeâtre et rappelle le bœuf des Grisons, en plus humide. Servie en tranches minces, elle est tendre et goûteuse. On peut également l'ajouter à des plats cuisinés.

Phoenicia
Saint-Laurent
Région: Montréal
514 389-6363

LA FLEUR DE COURGETTE

Les Amérindiens d'Amérique centrale firent connaître aux Espagnols de nombreuses variétés de courges, qu'ils rapportèrent chez eux et utilisèrent d'abord comme plantes ornementales pour ensuite les cultiver comme légumes. La courgette est fort appréciée dans la cuisine méditerranéenne, en Italie par exemple, où l'on recherche la saveur délicate de ses fleurs, qui se préparent farcies ou frites en beignets.

LES BOISSONS AU VIN DE MIEL ET AUX FRUITS
de Ali et Elena Agougou

Miel Nature est devenu la propriété des Agougou en 2000. L'hydromellerie se spécialise dans l'extraction du miel à froid, procédé qui consiste à conserver le miel dans son état naturel et à sauvegarder ses enzymes (diastases), qui jouent un rôle important dans la digestion des aliments. Miel Nature élabore 45 sous-produits à base de miel, dont 9 hydromels, et gère un rucher de 400 ruches.

Miel Nature
Melocheville
Région: Montérégie
450 429-5869
www.mielnature.com

LES FROMAGES
de Marie Kadé

Originaires d'Alep, en Syrie, les Kadé ont entrepris la production de fromages il y a plus de 20 ans. Ce sont les mêmes que ceux consommés dans l'Est méditerranéen, depuis la Grèce jusqu'en Égypte, où ils sont fabriqués au printemps et conservés dans la saumure à la façon du feta. On les retrouve sous les appellations Akawi, Baladi, Domiati, Haloumi, Istambouli ou Labneh.

Fromagerie Marie Kadé
Boisbriand
Région: Basses-Laurentides
450 419-4477
www.fromageriemariekade.com

LA SALICORNE

La salicorne croît sur les rives du Saint-Laurent et les côtes de la Gaspésie sur les sols riches en sel marin. En mai ou juin, ses jeunes pousses tendres et salées peuvent se consommer crues, nature ou dans les salades. Plus tard en saison, il est préférable de la blanchir.

NANCY
HINTON

Dans les plats qu'elle crée, Nancy Hinton utilise abondamment algues, plantes indigènes et fleurs comestibles. Sa connaissance et son amour des produits de la nature sauvage, elle les doit à François Brouillard, son compagnon, propriétaire du restaurant À la table des jardins sauvages et héritier de quatre générations de spécialistes du terroir laurentien.

« Je fais une cuisine régionale, simple, rustique, et pourtant très raffinée... »

Si Nancy Hinton est devenue chef, c'est à cause de sa gourmandise ! Tandis que ses parents passaient leur temps dans les livres, elle, elle cuisinait et gardait ses moindres sous pour s'offrir pâtés, fromages, terrines et fruits de mer...

Cette fille de professeurs d'anglais de Terre-Neuve, qui se définit comme « une anglo du Québec, une fière Québécoise et Canadienne qui aime Montréal et la campagne aussi », ressent peut-être un attrait pour la bonne chère dès son plus jeune âge, mais elle ne pense pas tout de suite à en faire une carrière. Ce n'est qu'en sortant de McGill, après quatre ans d'études en sciences, chimie et biochimie, qu'elle s'inscrit aux cours de cuisine de l'école Lester B. Pearson, dans l'arrondissement de LaSalle, à Montréal. Son professeur de chimie alimentaire, Harold McGee, aura une influence déterminante.

Renonçant aux loisirs, elle consacre ses soirées et ses week-ends à l'apprentissage des métiers de la restauration. Elle sera serveuse dans plusieurs petits bistrots, puis assistante cuisinière au Quartier Latin, dont elle apprécie « l'atmosphère intime et surtout ses plats français très créatifs ». Elle travaille ensuite au Piccolo Diavolo, puis à la Taverne Monkland, où elle reste quelques années et prend de l'expérience, entre autres dans l'organisation, la création de menus, la gestion. Tard le soir, dans sa minuscule cuisine, elle concocte des plats, car elle a commencé à offrir des services de traiteur.

Au moment où elle s'apprête à partir à la découverte des cuisines du monde, sa route croise celle d'Anne Desjardins, chef propriétaire de L'Eau à la Bouche. Cette dernière lui ouvre toutes grandes les portes de sa cuisine et ne tarde pas à l'engager comme sous-chef exécutif. Nancy découvre alors les raffinements d'une table gastronomique de réputation internationale. Idéaliste, puriste même, la jeune chef est à l'aise dans ce milieu exigeant où elle est en contact avec les meilleurs fournisseurs et travaille avec les meilleurs produits. C'est là qu'elle fait la connaissance de François Brouillard, qu'elle suivra, quelques années plus tard, et auprès de qui elle poursuivra sa carrière.

Leur restaurant, À la table des jardins sauvages, est niché dans la région de Joliette, à Saint-Roch-de-l'Achigan, sur une terre bucolique où la rivière Saint-Esprit coule en cascade. En quelques années, il s'est imposé comme une référence auprès des gourmets, qui y découvrent des aliments oubliés ou négligés. Nancy et François se font un plaisir de répondre à leurs questions et prodiguent des conseils sur l'art de cueillir les plantes et les champignons sauvages sans nuire à l'environnement, ainsi que sur la manière de les apprêter.

Jamais auparavant une table n'aura utilisé de façon aussi savoureuse les trésors d'un terroir qui va de l'Outaouais jusqu'aux Îles-de-la-Madeleine et du Nunavut jusqu'aux frontières américaines. La recherche d'authenticité est au cœur de la démarche de Nancy Hinton, qui veut tout connaître des vertus et des usages des milliers d'algues, aromates et fleurs qui aboutissent dans sa cuisine. Pour mieux leur en inventer de nouveaux. Ainsi, elle présente un filet de morue sur un nid de pois de mer et de pain perdu qu'elle assaisonne avec du persil de mer, des boutons floraux marinés et une vinaigrette aux piments et au carcajou. S'inspirant du répertoire culinaire français traditionnel, elle a créé un parmentier très personnel: cerf braisé, purée de pommes de terre relevée à l'huile de bolet, maïs à l'arroche de mer, le tout reposant sur une sauce aux champignons sauvages.

Nancy Hinton a un blogue et participe à des émissions de télévision et de radio. Elle est un porte-parole incontournable de la cuisine québécoise actuelle auprès des médias anglophones du Québec, du Canada et des États-Unis.

À LA TABLE DES JARDINS SAUVAGES

Cuisine du Québec

17, chemin Martin
Saint-Roch-de-l'Achigan
450 588-5125
www.jardinssauvages.com

SOUPE DE LAITUES, SALSA DE GOURGANES, CONCOMBRE ET MONARDE*, LAIT MOUSSEUX À L'AIL

Pour 10 personnes

Préparation: 30 min
Cuisson: 20 min
Repos: 15 min

Ingrédients

1 oignon, émincé
½ poireau, émincé
2 branches de céleri, émincées
1 pincée de: piment fort, graines de fenouil, thym séché
2 pommes de terre, pelées et coupées
2 L (8 tasses) de bouillon de volaille
250 ml (1 tasse) de vin blanc
250 ml (1 tasse) de crème 35%
3 L (12 tasses) de feuilles de laitues hachées grossièrement (frisée, romaine, bette à carde, chou gras, épinards, laitue de mer...)
Lait ou eau
Beurre ou huile d'olive
Sel et poivre
Jus de citron

Salsa

250 ml (1 tasse) de concombre libanais (baladi), en dés
250 ml (1 tasse) de gourganes écossées, blanchies
30 ml (2 c. à soupe) de feuilles de monarde ciselées
30 ml (2 c. à soupe) de pétales de monarde et/ou d'herbes fraîches ciselées, au goût (estragon, ciboulette, persil ou aneth)
Sel

Lait mousseux à l'ail (facultatif)

250 ml (1 tasse) de lait
3 gousses d'ail, hachées finement
1 pincée de muscade
Sel

- Faire suer l'oignon, le poireau et le céleri dans une noix de beurre (ou dans l'huile d'olive) à feu doux.
- Ajouter le piment, les graines de fenouil et le thym; déglacer avec le vin blanc et réduire de moitié. Ajouter le bouillon et les pommes de terre.
- Amener à ébullition, baisser le feu, et mijoter doucement jusqu'à ce que les légumes soient cuits. Incorporer les laitues, en commençant avec les plus denses (bette à carde, épinards, chou gras); cuire de 5 à 10 minutes. Ajouter les laitues tendres et la crème, laisser cuire une minute ou deux et retirer du feu.
- Réduire en purée au mélangeur, assaisonner au goût de sel, de poivre et de jus de citron. Passer au tamis pour une texture fine. Ajuster la consistance en rajoutant du lait ou de l'eau.
- Mélanger les ingrédients de la salsa et servir en garniture.
- Faire chauffer pendant 5 minutes le lait additionné d'ail haché; retirer du feu et laisser infuser hors du feu au moins 15 minutes. Passer au tamis et assaisonner. Laisser refroidir.
- Faire mousser le lait à la vapeur ou au robot culinaire.
- Verser la soupe dans des assiettes creuses, garnir de salsa et d'une bonne cuillerée de lait mousseux.
- Cette soupe peut être servie chaude ou froide.

Note: pour obtenir une mousse de lait compacte et abondante, utiliser le robot culinaire: verser le lait dans le bol à hauteur du premier couteau puis faire tourner à grande vitesse. Le lait écrémé donne un meilleur résultat.

* La monarde est une plante vivace aussi appellée bergamote et mélisse d'or.

CAILLES AU GINGEMBRE SAUVAGE, BOUTONS FLORAUX D'ASCLÉPIADE* ET LÉGUMES DE SAISON, RIZ COLLANT ET TEMPURA

Pour 4 personnes

Préparation: 40 min +10 +15
Cuisson: 90 min

Ingrédients

4 grosses cailles, entières ou à demi désossées
20 ml (4 c. à thé) d'huile d'olive
2 échalotes émincées
5 ml (1 c. à thé) de gingembre sauvage
2 gousses d'ail émincées
1 pincée de poudre de cari
1 anis étoilé
1 feuille de laurier
1 tige de thym frais
30 ml (2 c. à soupe) de vinaigre de vin blanc, de cidre ou de riz
30 ml (2 c. à soupe) de moutarde de gingembre sauvage
500 ml (2 tasses) de bouillon de volaille
30 ml (2 c. à soupe) de tamari ou de sauce soja
30 ml (2 c. à soupe) de sirop d'érable
30 ml (2 c. à soupe) de beurre

Légumes

400 g (4 tasses) de légumes au choix
200 g (2 tasses) de boutons floraux d'asclépiade (ou de bouquets de brocoli)
Huile de sésame
Coriandre ciselée

Tempura

250 ml (1 tasse) de farine
120 ml (½ tasse) de fécule de maïs
300 ml (1 ¼ tasse) d'eau froide pétillante
Huile végétale

Riz collant

250 ml (1 tasse) de riz à sushi
300 ml (1 ¼ tasse) d'eau
40 ml (2 ½ c. à soupe) de vinaigre de riz
5 ml (1 c. à thé) de sel
30 ml (2 c. à soupe) de sucre
Graines de sésame

- Désosser les cailles, couper le bout des ailes, séparer les suprêmes et les cuisses; réserver.
- Faire rôtir et colorer dans l'huile les carcasses dans une poêle à feu moyen. Ajouter les échalotes, baisser le feu et laisser dorer tranquillement. Ajouter le gingembre, l'ail et les épices; rissoler une minute puis déglacer avec le vinaigre. Incorporer en mélangeant bien avant d'ajouter le bouillon, la moutarde de gingembre, le tamari et le sirop d'érable; laisser réduire de moitié à feu doux. Passer au tamis et réserver.
- Rincer le riz, l'égoutter et le verser dans une casserole; ajouter l'eau froide et amener à ébullition; baisser le feu au minimum, couvrir et cuire 10-15 minutes; fermer le feu et laisser reposer à couvert 10 minutes de plus.
- Mélanger le vinaigre de riz, le sel et le sucre; incorporer au riz et laisser tiédir à la température ambiante. Former des boules de la grosseur d'une balle de golf et les rouler dans les graines de sésame. Réchauffer pour le service si nécessaire.
- Dans une poêle bien chaude, faire dorer les suprêmes (côté peau) et les cuisses dans un peu d'huile pendant 2 minutes; retirer les suprêmes et déglacer avec la base de sauce. Laisser mijoter les cuisses doucement 10 minutes de plus. Finir avec une noix de beurre, remettre les suprêmes et laisser reposer à feu éteint.
- Laver les boutons floraux d'asclépiade (ou le brocoli) et les blanchir 3 minutes (30 secondes pour le brocoli) dans l'eau bouillante. Refroidir dans un bain d'eau glacée et bien essorer. Couper les autres légumes en languettes.
- Faire sauter la moitié des légumes dans du beurre. Assaisonner de quelques gouttes d'huile de sésame, de coriandre et de sel.
- Préparer le tempura à la dernière minute: mélanger la farine et la fécule de maïs, ajouter l'eau pour faire une pâte à frire, sans trop fouetter.
- Chauffer de l'huile à 180 °C (375 °F).
- Plonger les légumes restant et les boutons floraux d'asclépiade ou les brocolis dans la pâte et les faire frire par petites quantités à la fois (4-5) jusqu'à ce qu'ils soient croustillants; égoutter sur un papier absorbant; saler.
- Faire un nid avec les légumes sautés et les surmonter d'une boule de riz; y appuyer les suprêmes et les cuisses de cailles, verser la sauce et servir accompagné de tempura de légumes.

* Attention, l'asclépiade est toxique: seuls les boutons floraux encore verts et les jeunes tiges sont commestibles. Certains marchés publics les offre en saison.

GÂTEAU AU CITRON ET FRAISES AU SIROP DE THÉ DU LABRADOR

Pour 10 personnes

Préparation: 30 min
Temps de repos: 30 min
Cuisson: environ 40 min

Ingrédients

125 g (½ tasse) de beurre
150 g (¾ tasse) de sucre
120 g (1 tasse) de farine
séchées (facultatif)
5 ml (1 c. à thé) de poudre à pâte
4 œufs, blancs et jaunes séparés
2 citrons, le jus et les zestes
200 ml (¾ tasse) de crème à fouetter

Fraises et coulis

500 g (1 lb) fraises du Québec
60 ml (¼ tasse) de sirop de thé du Labrador (ou autre sirop aromatisé ou eau)
Sucre au goût

- Préchauffer le four à 180 °C (350 °F).
- Chemiser un moule à gâteau de 20 cm × 20 cm (8 po × 8 po) avec du papier parchemin, beurrer et fariner.
- Fouetter le beurre et le sucre, ajouter les jaunes d'œufs en fouettant puis le jus de citron et les zestes. Incorporer graduellement la farine, et la poudre à pâte sans trop mélanger. Incorporer délicatement la crème fouettée.
- Battre les blancs d'œufs en neige assez ferme et les incorporer délicatement à l'aide d'une spatule en soulevant la préparation. Transférer dans le moule et cuire au four de 35 à 45 minutes. Laisser refroidir.
- Nettoyer, équeuter et couper les fraises en deux, arroser de sirop de thé du labrador, saupoudrer de sucre et laisser macérer une bonne demi-heure; égoutter en conservant le jus.
- Chauffer le jus et une bonne partie des fraises (les ¾ environ) et cuire 5 minutes. Réduire en coulis au mélangeur; conserver le reste des fraises pour la garniture.
- Refroidir le coulis au réfrigérateur.
- Couper le gâteau en portion et servir sur un fond de coulis; garnir de fraises au sirop et de crème fouettée.

LES FROMAGES ARTISANAUX
de Martin Guilbault

Martin Guilbault a construit sa fromagerie sur la ferme qui a vu grandir son père et son grand-père. En 1995, il a été l'un des premiers à offrir d'authentiques fromages artisanaux. Parmi eux, le Fêtard macéré à la bière, le Victor et Berthold, le Laracam et le Terre Promise, qui tous exhalent les arômes du terroir.

Fromagerie du Champ à la Meule
Notre-Dame-de-Lourdes
Région: Lanaudière
450 753-9217

LES VIANDES ET PRODUITS FUMÉS
de l'Artisan fumeur de Mandeville

On y fume la truite «à chaud», comme le faisaient les Amérindiens, avec un feu de bois d'érable. On propose également de nombreux produits du terroir et une variété de charcuteries confectionnées sur place avec du bison, du sanglier du lapin et du canard.

L'Artisan fumeur de Mandeville
Mandeville
Région: Lanaudière
450 835-0393

LES VINAIGRES
d'Antoine Leuthard

Fabrique artisanale de produits de vinaigre à partir de fruits, de fleurs sauvages et de miel, selon une tradition médiévale. La cerise, la pomme et le raisin sauvages, le sureau, l'aubépine, le pimbina, la smilacine et le pissenlit sont transformés en vin, puis en vinaigre, par l'action de la mère de vinaigre. Leurs propriétés médicinales et principes actifs sont généralement reconnus comme fort supérieurs à ceux des fruits et fleurs cultivés. On n'utilise aucun sucre raffiné, seulement du miel brut au besoin et naturellement ces vinaigres ne sont pas pasteurisés. La fermentation de ces vinaigres est lente et s'étale sur des mois, voire des années. Antoine Leuthard, maître vinaigrier, présente des conférences d'initiation à la fabrication du vinaigre à base de fruits et fleurs sauvages: récolte des fruits, broyage et pressage, vinification, fermentation avec la mère de vinaigre, etc.

Les Produits La Tradition
Sainte-Marcelline-de-Kildare
Région: Lanaudière
450 883-3102
www.latradition.qc.ca

LES PLANTES ET CHAMPIGNONS SAUVAGES
de François Brouillard

François a de qui tenir: les Brouillard font la cueillette des plantes sauvages comestibles du Québec depuis quatre générations. Des plantes qu'on peut utiliser dans la préparation de plats (livèche, champignons des bois...), en assaisonnement (gingembre sauvage, sureau, thé du Labrador...) ou en accompagnement (têtes de violon, arroches de mer, pousses d'hémérocalles, cœurs de quenouille). François a son comptoir au Marché Jean-Talon, à Montréal.

Les Jardins Sauvages
Saint-Roch-de-l'Achigan
Région: Lanaudière
450 588-5125
www.jardinssauvages.com

MARIE-CHANTAL *LEPAGE*

Marie-Chantal Lepage, la réputée chef du Château Bonne Entente, est une des grandes ambassadrices de la gastronomie québécoise actuelle, puisque c'est à elle qu'a été confiée la tâche de présenter nos produits régionaux auprès des délégations du Québec à l'étranger.

«Nous allons vers une cuisine épurée qui mise sur la saveur des produits.»

La première fois que Marie-Chantal Lepage met les pieds dans une cuisine, c'est à l'hôtel Plaza La Chaudière, à Gatineau. Le chef cherche quelqu'un pour s'occuper des hors-d'œuvre? Qu'à cela ne tienne! Sans broncher elle lui affirme que c'est justement sa spécialité... Elle a 16 ans, plus un sou en poche, du front tout le tour de la tête et... elle n'a jamais fait cuire un œuf!

Le défi est grand, mais à force de volonté – et grâce à un talent inné–, elle se débrouille si bien qu'elle y reste un an. Elle y apprend beaucoup. Entre autres, qu'elle a trouvé sa voie.

Elle passe alors aux cuisines du défunt Café Henry Burger, longtemps considéré comme l'un des meilleurs établissements de la région de l'Outaouais. «C'est là que, sans trop savoir comment m'y prendre, j'ai dépecé mon premier gigot d'agneau!» Et c'est là, aussi, que, piquée par l'attitude misogyne de plusieurs de ses confrères et patrons, elle prend la décision de prouver à tous qu'une femme peut devenir un excellent chef. Et, pour cela, elle a envie de rentrer chez elle, à Québec.

En 1984, de retour dans sa ville natale, elle a la chance d'être engagée au restaurant du regretté Serge Bruyère, le chef le plus estimé de l'heure, qui reconnaît son talent et lui donne confiance en elle. «C'est lui qui m'a donné le goût de continuer et qui m'a dit que j'avais du potentiel, que je pouvais aller loin.»

Encouragée, Marie-Chantal va de cuisines en cuisines, jusqu'à celles du Manoir Montmorency, à Beauport, où elle passera les 12 années suivantes à concevoir une gastronomie régionale qui a fait époque. «Pour être un bon chef, on a besoin de bons producteurs et de bons produits. C'est la fraîcheur des aliments qui compte. L'originalité est importante, mais avec la fraîcheur on peut faire n'importe quoi!» En 2005, malgré la notoriété et l'estime dont bénéficie sa table, une décision gouvernementale vient sabrer ce joyau régional, laissant la chef en deuil d'une halte gastronomique où elle avait mis toute sa passion.

Elle ne tarde pas à être recrutée comme chef exécutif par le Château Bonne Entente, à Québec, où elle avait brièvement travaillé au milieu des années 1980. En acceptant de relever ce défi, elle hérite d'une solide brigade d'une trentaine de personnes. Ainsi entourée, elle peut laisser libre cours à une imagination toujours plus fertile et imposer des valeurs qui vaudront à cette table une réputation des plus enviées.

Sa carte déborde de petites et de grandes audaces, comme cet amuse-gueule de maïs soufflé au beurre et paprika servi en verrine ou ce foie gras de canard poêlé, marié aux saveurs de mangue, d'asperge et de roquette, ou ce pavé de morue charbonnière mariné et grillé qui profite des saveurs d'une feuille de lasagne à l'encre de seiche et d'une chiffonnade de crabe des neiges. Ou encore sa fameuse tarte Tatin de betteraves jaunes avec une poêlée de foie gras... dont le goût est, dit-elle, «hallucinant». Quant à ses desserts, de la soupe au porto aux tuiles de nougat, on va d'éblouissement en éblouissement.

Marie-Chantal est une inlassable globe-trotter et une communicatrice hors pair. Pour elle, voyager est autant l'occasion de faire des découvertes culinaires que de faire connaître les produits québécois à l'étranger. «Ma cuisine est faite à base de produits du Québec, avec des saveurs de partout dans le monde.» En 2000, Marie-Chantal Lepage a été élue Chef de l'année par la Société des Chefs cuisiniers et pâtissiers du Québec et, en 2005, elle a reçu le prix Hommage aux femmes en agroalimentaire du ministère de l'Agriculture, des Pêcheries et de l'Alimentation du Québec.

CHÂTEAU BONNE ENTENTE

Cuisine du Québec actuel

3400, chemin Sainte-Foy
Québec
418 653-5221 ou 1 800 463-4390
www.chateaubonneentente.com

POÊLÉE DE FOIE GRAS, SALSA DE MANGUE, ET RUBANS D'ASPERGE VERTE

Pour 4 personnes

Préparation: 20 min
Cuisson: 2 min

Ingrédients

4 escalopes de foie gras
4 asperges vertes tranchées en longueur
2 mangues
1 oignon rouge haché
15 ml (1 c. à soupe) de jus de lime
60 ml (¼ de tasse) d'huile d'olive
60 ml (¼ de tasse) de coriandre fraîche hachée
Un soupçon de purée de piment Sambal Oelek, ou autre
Sel et poivre

- Couper 8 fines tranches de mangue et les réserver. Couper le reste des mangues en petits dés. Mettre dans un bol avec l'oignon, le jus de lime, l'huile d'olive, la coriandre et la purée de piment; saler, poivrer et bien mélanger. Laisser reposer au moins une heure au réfrigérateur.
- Trancher les asperges crues en rubans dans le sens de la longueur. Réserver dans de l'eau glacée.
- Poêler les escalopes de foie gras dans une poêle en fonte très chaude, 30 secondes de chaque côté; saler et poivrer.
- Égoutter les rubans d'asperge, les éponger et les assaisonner avec un filet d'huile d'olive, un peu de sel et de poivre.
- Déposer une tranche de mangue au fond de l'assiette, y disposer quelques rubans d'asperge puis le foie gras. Terminer avec la salsa façonnée en quenelle et une fine tranche de mangue.

MORUE CHARBONNIÈRE, ÉMULSION AUX AGRUMES ET MASCARPONE

Pour 4 personnes

Préparation: 30 min
Temps de repos: 24 h
Cuisson: 15 min environ

Ingrédients

4 morceaux de filet de morue charbonnière
4 lasagnes à l'encre de seiche, aux épinards ou autre

Marinade pour le poisson

1 branche de citronnelle écrasée
4 shiitakes ou champignons noirs séchés
500 ml (2 tasses) de mirin ou de saké
250 ml (1 tasse) de sauce hoisin

Garniture

1 petit contenant de 100 g (un peu moins de ¼ lb) de chair de crabe des neiges
250 ml (1 tasse) de fenouil, haché finement
45 ml (3 c. à soupe) d'huile d'olive
60 ml (¼ tasse) de ciboulette, ciselée
60 ml (¼ tasse) de bisque de crustacés

Émulsion aux agrumes

375 ml (1 ½ tasse) de jus d'orange
125 ml (½ tasse) de jus de pamplemousse
15 ml (1 c. à soupe) de jus de citron
3 ml (½ c. à thé) de curcuma
375 ml (1 ½ tasse) de crème à cuisson
125 ml (½ tasse) de mascarpone

Finition

1 pomme Granny Smith, coupée en julienne
1 pincée de piment d'Espelette
Huile d'olive
Sel et poivre

- Mélanger les ingrédients de la marinade et y déposer les morceaux de poisson; fermer hermétiquement et laisser mariner 24 heures au réfrigérateur.
- Chauffer l'huile d'olive dans une poêle et y faire cuire le fenouil à feu doux. Ajouter le crabe et la bisque chaude; rectifier l'assaisonnement puis incorporer la ciboulette. Réserver au chaud.
- Réunir le jus d'orange et le jus de pamplemousse et faire réduire de moitié. Dans une autre casserole, faire réduire la crème de moitié. Combiner les jus d'orange et de pamplemousse et la crème dans un mélangeur, puis ajouter le jus de citron, le curcuma et le mascarpone. Mixer jusqu'à obtention d'une texture homogène et lisse. Passer au tamis et réserver au chaud.
- Égoutter les morceaux de poisson et éponger légèrement. Cuire sous le gril du four jusqu'à la cuisson désiré, accorder un temps de repos.
- Pendant ce temps, cuire les lasagnes dans l'eau bouillante salée. Les égoutter et les couper en 2, badigeonner d'huile d'olive et assaisonner.
- Dresser au centre d'une assiette un premier carré de lasagne, ajouter une bonne cuillérée d gaerniture et recouvrir d'un second carré de pâte; déposer ensuite la pièce de morue charbonnière sur le dessus.
- Émulsionner de nouveau la sauce avant de napper le poisson; déposer la julienne de pomme verte assaisonnée à l'huile d'olive. Parsemer l'ensemble du plat avec un peu de piment d'Espelette.

CROUSTILLANT FAÇON MILLE-FEUILLE AUX FRAISES ET MASCARPONE, NAGE DE PETITS FRUITS AU PORTO

Pour 4 personnes

Préparation: 25 min
Cuisson: 15 min

Ingrédients

Nage de petits fruits

125 ml (½ tasse) de porto
160 ml (⅔ tasse) d'eau
1 bâton de cannelle
45 ml (3 c. à soupe) de sucre
4 fraises, coupées en petits dés
125 ml (½ tasse) de bleuets

Mille-feuille

2 feuilles de brick
15 ml (1 c. à soupe) de beurre fondu
15 ml (1 c. à soupe) de sucre à glacer

Garniture

200 ml (¾ tasse) de crème 35%
45 ml (3 c. à soupe) de sucre
100 ml (⅓ tasse) de mascarpone
Fraises
5 feuilles de menthe, ciselées finement, et 4 pour la décoration

- Dans une casserole, faire réduire le porto de moitié, puis ajouter le sucre, l'eau et la cannelle. Amener à ébullition et verser sur les bleuets et les dés de fraises. Mettre à refroidir. Retirer la cannelle et verser dans des verrines.
- Étaler les feuilles de brick sur une planche à découper. Badigeonner de beurre fondu et saupoudrer de sucre à glacer. Détailler selon la forme désirée en comptant deux feuilles par dessert. Disposer sur une plaque à pâtisserie recouverte d'un papier parchemin et cuire au four à 180°C (350°F) jusqu'à coloration dorée. Réserver.
- Mélanger la crème, le sucre, le mascarpone et la menthe. Faire monter au batteur jusqu'à consistance ferme. Réserver.
- Sur une feuille de brick, disposer un rang de fraises et un peu de crème; remettre une feuille de brick et y disposer la crème fouettée. Décorer d'une feuille de menthe et servir aussitôt.
- Servir, comme sur la photo, accompagné de la nage de petits fruits.

LE SAUMON FUMÉ
de Marin et Nicolas Leteneur

Marin et Nicolas ont apporté au Québec le goût de la Normandie ainsi que sa tradition culinaire. Loin de leurs côtes natales, les fondateurs du fumoir La Fée des Grèves n'ont jamais vraiment quitté la mer puisque la truite et le saumon de l'Atlantique sont au cœur de leur production. Les poissons sont légèrement salés à sec et fumés à froid au bois d'érable et aux bois fruitiers, selon une méthode ancestrale combinée à des techniques de pointe.

Fumoir La Fée des Grèves
Beauport
Region: Québec
418 666-1892
Sainte-Rose
Region: Laval
450 937-1990
www.feedesgreves.qc.ca

LES FROMAGES FERMIERS
d'Éric Proulx

À l'orée de la forêt laurentienne, en bordure de la rivière Tourilli, Éric Proulx élève une trentaine de chèvres. Le lait qui sert à la fabrication de ses fromages fermiers artisanaux s'imprègne donc des fourrages du terroir. Le Tourilli (chèvre frais), le Cap Rond (semi-ferme à croûte cendrée), le Bouquetin de Portneuf et le Bastidou (type crottin) sont fabriqués à la main et moulés à la louche selon la tradition des A.O.C.

Ferme Tourilli
Saint-Raymond
Région: Portneuf
418 337-2876
www.fermetourilli.com

LA TOMATE BELLA
de la famille Demers

L'entreprise familiale a été fondée au tournant des années 1960 par Yolande et André Demers. Aujourd'hui, leurs fils Réjean et Jacques ont pris la relève et continuent d'innover. On y cultive, en serre ou dans les champs, plusieurs variétés de tomates, dont la Bella, une petite tomate ferme et juteuse de type italienne, mûrie sur vigne. Demers produit aussi des fraises et des framboises. L'entreprise favorise une culture verte, sans herbicide ni insecticide et entièrement biologique.

Demers
Saint-Nicolas
Région: Chaudière-Appalaches
418 831-2489
www.phdemers.com

LE FOIE GRAS DE CANARD
de Marie-Josée Garneau et Sébastien Lesage

En 1997, Marie-Josée et Sébastien accrochent leur toge d'avocat pour revêtir chemise à carreaux et bottes de caoutchouc. Sur leur ferme ancestrale de Saint-Apollinaire, ils créent Le Canard Goulu, une entreprise spécialisée dans l'élevage, le gavage et la transformation du canard de Barbarie. Fier d'une pratique agricole responsable et respectueuse de l'environnement, Le Canard Goulu offre une gamme variée de produits de canard de Barbarie. Le Canard Goulu a son restaurant sur l'avenue Maguire, à Québec.

Le Canard Goulu
Saint-Apollinaire
Région: Lotbinière, Chaudière-Appalaches
418 881-2729
www.canardgoulu.com

SUZANNE *LIU*

Suzanne Liu s'impose par sa délicatesse. Son attitude est réservée et sa voix est douce, mais ses yeux pétillent. Ce qu'elle aime par-dessus tout, c'est partager et créer des liens avec ses clients. La chef et copropriétaire du restaurant Soy maîtrise l'art de mélanger épices et parfums, de fusionner produits québécois et asiatiques. Avec elle, les produits les plus simples sont un enchantement pour les papilles et pour les yeux. Sa table est unique au Québec.

« Une cuisine traditionnelle, simple et bien faite est, pour un véritable gastronome, de la grande cuisine. »

Née à Hong Kong dans une famille très modeste, Suzanne Liu parle avec émotion des repas savoureux réalisés par sa grand-mère avec trois fois rien: un peu de poisson et de tofu, sur fond de sauce soja parfumée d'un jet d'huile de sésame. «J'ai appris de ma grand-mère qu'il n'était pas nécessaire d'avoir des ingrédients coûteux pour réussir un bon repas.»

Arrivée à Montréal avec sa famille en 1976, un an avant l'adoption de la Charte de la langue française, Suzanne est inscrite à l'école anglaise. Elle n'a que 15 ans quand elle commence à travailler dans divers restaurants pour subvenir à ses besoins et poursuivre ses études, tout en apprenant le français. Elle débute à la Maison Kam Fung. Suivront l'Élysée Mandarin et Abacus, d'élégants restaurants chinois, ainsi que quelques restaurants français, dont Le Tournebroche du Château Champlain.

En 1982, Suzanne Liu entreprend des études en psychologie de l'enfance, mais elle constate rapidement que sa vraie passion, c'est la restauration et la cuisine, qu'elle côtoie depuis l'adolescence sans y participer vraiment. Son choix est fait. «Quand j'ai annoncé à ma mère que j'allais travailler en cuisine, elle était découragée. Pour elle, comme pour beaucoup de Chinois, c'était un travail bas de gamme, une besogne difficile et salissante qui n'exigeait que peu d'instruction. Rien à voir avec l'Europe ou le Japon, où les chefs sont considérés depuis longtemps comme de véritables artistes.»

Après avoir pris de l'expérience dans plusieurs restaurants, elle est admise au sein de la prestigieuse équipe du restaurant Zen, de l'Hôtel Quatre-Saisons, à Montréal. C'est là que les gourmands découvrent cette petite femme gracile et attentive qui travaille en salle, car, selon la tradition chinoise, la cuisine est le fief des mâles... On lui confie néanmoins le poste d'assistante de Manny Cheng, le directeur de la restauration, hongkongais comme elle, qui deviendra son mari. Cheng a étudié à San Francisco, puis il a séjourné à Vancouver et à Toronto avant de venir s'établir à Montréal. Ensemble, ils créeront pour Zen la formule qui permet de goûter à volonté à tous les plats inscrits à la carte du restaurant en portions dégustation pour 20 dollars. Manny et Suzanne ont beaucoup en commun. Dont le rêve de posséder leur propre restaurant.

Comme elle sait qu'elle a beaucoup à apprendre avant de réaliser ce rêve, Suzanne s'inscrit aux cours intensifs de cuisine française pour professionnels de l'École Lester B. Pearson, dans l'arrondissement de LaSalle. «Rares sont les Asiatiques qui s'intéressent à d'autres gastronomies que la leur, pas même à la française. Pourtant, on gagne beaucoup à explorer les cuisines des autres.»

En 1999, Suzanne Liu et Manny Cheng se sentent enfin prêts: ils ouvrent Soy, rue Saint-Denis, à Montréal, à quelques pas de L'Express et de Toqué! Avec son décor sobre et sa table raffinée, Soy est à des années-lumière des restaurants sino-américains. La nouvelle se répand comme une traînée de poudre et la clientèle accourt. Leur restaurant, où se rencontrent les cuisines de Canton, de Shanghai et du Sseu-Tch'ouan avec des touches d'inspiration japonaise, thaïlandaise et coréenne, ne désemplit pas.

Mais, en juin 2001, l'établissement est rasé par un incendie. Accablé par ce coup du sort, le couple part en Provence pour se ressourcer. Au mois de décembre 2002, Soy renaît de ses cendres sur le boulevard Saint-Laurent. Midi et soir, une trentaine de convives peuvent y prendre place. Quelques-uns se rassemblent autour d'une longue table de bois de style réfectoire. D'autres s'assoient du côté des fenêtres donnant sur le boulevard Saint-Laurent, où quelques tables peuvent réunir quatre à six convives. Suzanne Liu aime le contact avec les gens et sa cuisine à aire ouverte favorise la conversation. Ce qui ne l'empêche pas d'avoir un œil sur tout. La chef voit à ce que tout soit coordonné, de la préparation des plats jusqu'à leur arrivée à la table du client, en passant par leur présentation. «Même le temps de porter le plat de la cuisine à la table est calculé, parce que le mets continue à cuire après son retrait de la source de chaleur. Quand je sonne, le plat doit partir aussitôt! Pas question de chauffe-plat!»

Ses plats recèlent un éventail de saveurs et d'arômes subtils qui échappe à toute comparaison. Il faut goûter sa simplissime salade d'agrumes, ses dumplings de porc à la vapeur, ses rouleaux croustillants, ses émincés de volaille ou de viande sautés au wok et nappés d'une sauce caramélisée... et son fameux poulet du général Tao.

«À Hong Kong, les critiques ne s'intéresseraient pas à un restaurant aussi peu flamboyant. Ici, c'est différent, on apprécie la simplicité... Et c'est cette simplicité-là qui me fait aimer le Québec encore plus!»

LE MENU

Soupe thaï au lait de coco

Filet de poisson en croûte de gingembre, vinaigrette miso sésame

Tofu soyeux et fruits frais au sirop de gingembre

SOY

Cuisine asiatique

5258, boul. Saint-Laurent
Montréal
514 499-9399
www.restaurantsoy.com

SOUPE THAÏ AU LAIT DE COCO

Pour 4 personnes

Préparation: 15 min
Cuisson: 1 h

Ingrédients

Bouillon
3 L (12 tasses) d'eau
1 petit bulbe de gingembre frais, coupé en morceaux
1 tige de citronnelle
5 feuilles de kaffir (genre de lime)
1 piment frais
1 bulbe de galangal coupé grossièrement (famille du gingembre mais plus puissant)
3 gousses d'ail, hachées

Garniture
1 patate douce pelée et coupée en cubes
1 pomme de terre pelée et coupée en cubes
400 ml (1 ⅔ tasse) de maïs nains en conserve
Sauce de poisson, au goût
400 ml (1 ⅔ tasse) de lait de coco
Coriandre
Basilic thaïlandais

- Faire un bouillon avec le gingembre frais, la citronnelle, les feuilles de kaffir, le piment, le galangal et l'ail haché. Mijoter doucement pendant 1 heure. Le bouillon est prêt lorsqu'on peut en goûter toutes les épices. Passer au tamis.
- Ajouter la patate douce, les pommes de terre et le maïs; saler au goût avec la sauce de poisson (nuöc mam ou thaï) et terminer avec le lait de coco.
- Au moment de servir, garnir de coriandre et de basilic thaïlandais.

FILET DE POISSON EN CROÛTE DE GINGEMBRE, VINAIGRETTE MISO-SÉSAME

Pour 4 personnes

Préparation: 20 min
Cuisson: 7 min

Ingrédients

Sauce

30 ml (2 c. à soupe) de vinaigre de riz
30 ml (2 c. à soupe) de bouillon de poulet
22 ml (1 ½ c. à soupe) de miso
22 ml (1 ½ c. à soupe) de sucre
5 ml (1 c. à thé) de graines de sésame blanc
5 ml (1 c. à thé) d'ail émincé
5 ml (1 c. à thé) de gingembre frais émincé
½ à 1 piment fort (thaï frais), haché finement
7 ml (1 ½ c. à thé) de moutarde de Dijon
1 jaune d'œuf
125 ml (½ tasse) d'huile de tournesol
15 ml (1 c. à soupe) d'huile de sésame grillé

Filet de poisson

4 filets d'aiglefin, de morue, de doré, ou d'un autre poisson blanc
10 ml (2 c. à thé) de gingembre haché finement
5 ml (1 c. à thé) d'oignons verts hachés finement
60 ml (4 c. à soupe) de panko (chapelure japonaise)
1 filet d'huile de sésame
Sel et poivre

- Dans un bol, réunir le vinaigre de riz, le bouillon de poulet, le miso, le sucre et les graines de sésame. Réduire en purée l'ail, le gingembre et le piment, ajouter la moutarde et le jaune d'œuf. Mélanger les deux préparations puis monter au fouet avec l'huile de tournesol et l'huile de sésame pour obtenir une mayonnaise. Réfrigérer.
- Dans une poêle, faire revenir légèrement le gingembre et les oignons verts. Réserver.
- Saler et poivrer les filets de poisson, et les poêler de chaque côté; terminer la cuisson à four doux.
- Au moment de servir, garnir le dessus des filets du mélange gingembre-oignons verts et saupoudrer de panko. Mettre sous le gril du four jusqu'à ce que les filets soient dorés.
- Dresser le poisson sur l'assiette accompagné, par exemple, de bok choy et de shiitakés sautés rehaussés d'un peu de sauce soja. Saupoudrer de graines de sésame grillées.

TOFU SOYEUX ET FRUITS FRAIS AU SIROP DE GINGEMBRE

Pour 4 personnes

Préparation : 15 min
Cuisson : 5 min

Ingrédients

1 bloc de tofu dessert soyeux (tofu Fa)
Fruits selon la disponibilité : fraises, melon ou mangue coupés en morceaux
250 ml (1 tasse) de sucre brun chinois (en brique) ou de sucre de canne
375 ml (1 ½ tasse) d'eau
1 morceau de gingembre frais de 10 cm (2 po), écrasé

- Amener l'eau à ébullition avec le sucre et le gingembre écrasé. Laisser réduire jusqu'à consistance de sirop ; retirer du feu, laisser infuser et tiédir. Tamiser.
- Dans un bol, disposer les fruits et le tofu coupé en cubes, arroser généreusement de sirop et servir.

LE TOFU FA ET LE TOFU MOU
des Aliments Wah Hoa

Ces deux produits sont de véritables joyaux en matière de tofu. Le tofu Fa est utilisé dans la confection de desserts à cause de sa texture moelleuse et légère qui fond dans la bouche. Le tofu mou est surtout utilisé dans les soupes. Sa texture est soyeuse et souple, mais plus ferme que le tofu dessert. Un classique est de le servir enrobé d'une sauce soja relevée de gingembre, d'oignons vert et d'un filet d'huile de sésame grillée.

Les aliments Wah Hoa
Montréal
514 397-1881

LE MISO DE SOJA ET RIZ ET LE MISO-DAMARI
des Aliments Massawippi

Gilbert Boulay et Suzanne Dionne définissent leur entreprise comme un atelier artisanal. Depuis juin 2000, ils fabriquent différentes sortes de miso ainsi que du miso-damari, un tamari de soya et de riz, biologiques, non pasteurisés et de longue fermentation. Le miso est une pâte fermentée à haute teneur en protéines, composée de fèves de soya, d'une céréale comme le riz ou l'orge, de sel et d'eau. Gilbert et Suzanne se sont donné pour mission de fabriquer un miso de la plus haute qualité. Pour eux intégrer le miso non pasteurisé dans l'alimentation quotidienne est une réelle hygiène de vie, car il protège le corps et contribue au maintien et à l'amélioration de la santé.

Les Aliments Massawippi
North Hatley
Région: Estrie
819 842-2264
www.alimentsmassawippi.com

LES HERBES FRAÎCHES
des Serres Hang

Basilic thaï, coriandre, menthe, oignons verts... toutes les herbes et plusieurs légumes que l'on retrouve sur les marchés asiatiques de Montréal proviennent des Serres Hang à Rougemont.

Les Serres Hang
Rougemont
Région: Montérégie
450 469-1723

LES TISANES INUITES DÉLICE BORÉAL
de l'Institut culturel Avataq

L'institut Avataq est considéré comme une référence internationale en matière de culture inuite. Il a été créé en 1980 grâce à la volonté des aînés du Nunavik de conserver leur culture, leur langue et leur patrimoine. Les tisanes Délice boréal sont issues d'une longue tradition de remèdes médicinaux à base de plantes auxquelles les Inuits associaient des propriétés curatives naturelles. Les feuilles ou les fleurs des ingrédients principaux (thé du Labrador, ronce petit-mûrier, genévrier et camarine noire) sont mélangées à des plantes aromatiques, indigènes ou non: feuilles de bouleau, fleurs de trèfle, d'hibiscus, de coquelicot, anis étoilé, mélisse, menthe poivrée, réglisse, etc.

Institut culturel Avataq
Tisanes Délice boréal
Montréal
514 989-9031
www.deliceboreal.com

HELENA *LOUREIRO*

Louangée par les critiques non seulement du Québec, mais de partout dans le monde, la chef Helena Loureiro veille aux destinées du Portus Calle depuis 2003. Elle y propose des poissons grillés, des fruits de mer ainsi qu'une grande variété de *petiscos*, le nom portugais des tapas. Une cuisine à la fois typiquement portugaise et tout à fait personnelle.

« Les gens ne choisissent pas un restaurant en fonction de ses étoiles. Ils recherchent la simplicité, la fraîcheur, le vrai goût des aliments. »

Helena Loureiro est née à Serra de Santo Antonio, un petit village au centre du Portugal. Elle commence à cuisiner dès l'âge de 11 ans avec sa tante et sa grand-mère, qui tiennent un petit restaurant. À 17 ans, elle s'inscrit à l'École hôtelière de Lisbonne. Trois ans plus tard, elle fait un voyage à Montréal. Elle a un coup de cœur pour la ville et décide de s'inscrire à l'Institut de tourisme et d'hôtellerie du Québec afin de parfaire sa formation. Pour défrayer son séjour et ses cours, elle devient cuisinière à la garderie Alexis le Trotteur, rue Clark, dont elle continuera à nourrir quotidiennement les 80 enfants pendant 12 ans, malgré une carrière en ascension.

Diplôme de l'ITHQ en poche, elle décide de concilier sa passion pour le Québec et son besoin de rester proche de ses racines et des saveurs de son enfance. En 1990, elle devient chef exécutif au Vintage, un tout nouveau restaurant portugais rue Saint-Denis, à Montréal, dont la réputation s'élèvera rapidement au-dessus des restaurants portugais traditionnels.

Treize ans plus tard, en mars 2003, Helena Loureiro et ses associés ouvrent discrètement un restaurant qui leur ressemble, Portus Calle, nom latin du Portugal. Le choix de l'emplacement n'est pas un hasard: boulevard Saint-Laurent, près de la rue Rachel, le quartier où les Portugais ont pris racine il y a un demi-siècle et où ils ont créé leurs cafés, ouvert leurs échoppes, établi leur église et où un parc a été baptisé en leur honneur il y a une vingtaine d'années, à l'angle de la rue Marie-Anne.

Pendant un certain temps, Portus Calle est une adresse confidentielle. Ce ne sont ni les critiques ni la publicité, mais bien le bouche à oreille qui entraîne vers cette table une clientèle composite, toujours à l'affût de nouvelles émotions gustatives. L'endroit leur plaît d'autant plus que le décor est à la fois chaleureux et moderne et qu'ils y découvrent une cuisine portugaise traditionnelle rajeunie et raffinée.

Sitôt franchie la porte de Portus Calle, l'allégorie océane qui s'en dégage est frappante. Dans la salle, juste avant d'atteindre l'espace cuisine, de vastes comptoirs réfrigérés fermés par des portes de verre laissent voir, reposant sur un lit de glace, les poissons et fruits de mer de l'Atlantique et de la Méditerranée, ainsi que du golfe Saint-Laurent et de la Côte-Nord. Entre la cuisine familiale de sa grand-mère et celle qu'elle fait aujourd'hui, il n'y a pas de rupture, puisque Helena Loureiro tire toujours parti d'un garde-manger ancestral, où l'huile d'olive fréquente encore la petite sardine de Nazaré.

Le Portus Calle bourdonne du murmure d'une clientèle animée, qui s'intensifie à mesure que le vin coule et que les plats arrivent sur la table. En véritable chef d'orchestre, Helena dirige sa brigade, veillant à ce que chacune de ses partitions soit parfaitement exécutée. Le repas s'amorce avec un peu de pain et un filet d'huile d'olive portugaise. Une aumônière en coton tient lieu de corbeille à pain. Servis en guise d'amuse-gueule: olives pimentées gallegas, noires et vertes, et beignets de morue. Viennent ensuite les *petiscos*: jeunes calmars grillés à chair tendre relevés au vin blanc, piment d'Espelette, pieuvre et tomates cerises grillées au chèvre fondant, lanières de poivron rouge et jaune, copeaux de cœur d'artichaut et oignon rouge émincé, crevettes grillées servies dans un caquelon de fonte brûlant, tranches de pain de maïs nappées d'une tapenade de tomates séchées et portant un filet de sardine, le tout condimenté par un émincé de poivron rouge et une tapenade d'olives noires. Un quatuor de bouchées d'agneau, escorté de fines tranches de courgette et d'aubergine, est rehaussé d'un coulis de tomate au piment d'Espelette et de fromage de chèvre fondant.

La cuisine d'Helena Loureiro est une inspirante symbiose entre la cuisine méditerranéenne et la modernité culinaire québécoise. Parmi les produits d'ici qu'elle affectionne tout particulièrement, il y a les poissons, coquillages et crustacés de la Gaspésie et des Îles-de-la-Madeleine, ainsi que les homards, couteaux, pétoncles et autres fruits de mer de la Minganie. «Le plus important en cuisine, c'est la fraîcheur des aliments.»

PORTUS CALLE
Cuisine portugaise

4281, boulevard Saint-Laurent
Montréal
514 849-2070
www.portuscalle.ca

CRABE DES NEIGES, MAYONNAISE À L'HUILE D'OLIVE

Pour 6 à 8 personnes

Préparation : 15 min

Ingrédients

500 g (1lb) de chair de crabe des neiges en petits morceaux
45 ml (3 c. à soupe) de ciboulette hachée
45 ml (3 c. à soupe) de persil frais ciselé
Zeste de 1 citron lavé
5 ml (1 c. à thé) d'huile d'olive

Mayonnaise à l'huile d'olive
1 jaune d'œuf
200 ml (¾ tasse) d'huile d'olive vierge
2,5 ml (½ c. à thé) de moutarde de Dijon.
Quelques goutes de sauce Piri-Piri.
Sel de mer au goût

- Monter la mayonnaise avec un mini mélangeur plongeur ou au fouet, en s'assurant que tous les ingrédients soient à température ambiante.
- Ajouter le zeste de citron rapé, le persil et la ciboulette. Assaisonner puis verser sur le crabe et mélanger délicatement.
- Servir avec des croutons de pains de maïs.

COCHON DE LAIT AU FOUR À LA PORTUGAISE

Pour 6 personnes

Préparation: 15 min
Temps de repos: 3 à 4 h
Cuisson: 2 ½ h

Ingrédients

1 épaule ou gigot de cochon de lait de 2 à 3 kg
4 oranges, découpées en quartiers

Marinade
8 gousses d'ail, pelées
2 feuilles de laurier
60 ml (4 c. à soupe) de sel de mer
Poivre
60 ml (¼ tasse) de saindoux ou d'huile d'olive
60 ml (¼ tasse) de persil
125 ml (½ tasse) de vin blanc

- Immerger le porcelet dans de l'eau salée (1 c. à soupe de sel par litre d'eau) avec les quartiers d'orange pressés pendant 3 à 4 heures; l'égoutter et l'éponger.
- Préchauffer le four à 220 °C (450 °F). Mélanger tous les ingrédients de la marinade dans un robot culinaire jusqu'à l'obtention d'une purée.
- Badigeonner le porcelet du côté de la peau avec cette purée, cuire au four pendant 2 ½ heures.
- Pour que la peau soit bien croustillante et la chair fondante, arroser le porcelet avec le vin blanc toutes les 20 minutes durant la cuisson.
- Servir avec des frites maison et une salade verte.

PASTEIS DE NATA (TARTELETTES AUX ŒUFS)

Pour 25 tartelettes

Préparation: 30 min
Cuisson: 25 min

Ingrédients

20 petits moules ronds (à bord haut)
400 g de pâte feuilletée
500 ml (2 tasses) de crème 35%
8 jaunes d'œufs
10 ml (2 c. thé) de farine
200 g (1 tasse) de sucre
1 peu de jus de citron

- Préchauffer le four à 220 °C (450 °F).
- Étendre la pâte feuilletée le plus finement possible. L'enrouler sur elle-même. Coupez le rouleau en tronçons de 2 à 3 cm (1 pouce environ). Placez chaque tronçon au fond des moules et, avec les doigts légèrement mouillés, relever la pâte pour couvrir les bords.
- Autre méthode: mettre le tronçon debout sur une planche à pâtisserie, enfoncer le pouce au centre pour l'écraser puis, à l'aide d'un rouleau à pâtisserie, former des cercles assez grands pour garnir le moule.
- Mélanger la crème, les jaunes d'œufs, la farine, le sucre et le jus de citron dans une casserole. Amener à ébullition en remuant; retirer du feu aussitôt et laisser tiédir. Verser sur la pâte dans les moules et cuire au four pendant 20 minutes.
- Saupoudrer les tartelettes d'un peu de cannelle moulue et servir.

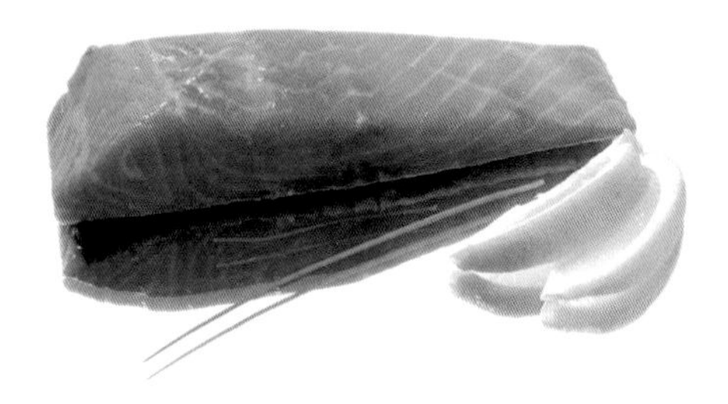

LE FROMAGE PIED-DE-VENT

de Stéphane Chiasson et Jérémie Arsenault

Le Pied-de-Vent, un fromage au lait cru, est fabriqué avec le lait d'un troupeau laitier nourri du terroir des Îles-de-la-Madeleine. Sous une belle croûte orangée se cache une pâte semi-ferme, souple, veloutée et crémeuse. Son odeur est douce de crème et son goût exhale la noisette et le champignon.

Fromagerie du Pied-de-Vent
Havre-aux-Maisons
Région: Îles-de-la-Madeleine
418 969-9292

LE SAUMON FUMÉ À L'ANCIENNE

de James et Charles Atkins

Originaire de Granby, les frères Atkins se sont installés à Mont-Louis, en Gaspésie, pour réaliser leur rêve de vivre près de la mer. Ils y ont créé une entreprise de fumaison de poissons et de fruits de mer. Pétoncles, moules et crevettes sont fumés à chaud ou à froid. Les filets sont parés et salés, traités avec une liqueur de rhum, puis affinés en chambre froide jusqu'à l'obtention d'une texture idéale pour la fumaison à froid. Ils offrent une texture agréable en bouche et un bon sel, le gras naturel du saumon enrobe le palais et la fumée est discrète.

Atkins et Frères
Mont-Louis
Région: Gaspésie
418 797-5059
www.atkinsetfreres.com

LE COCHON DE LAIT
de Pascal Viens et Josiane Palardy

Pascal Viens et Josiane Palardy élèvent un porc écologique, sans aucun médicament, antibiotique, hormone ou facteur de croissance. L'élevage est nourri au grain et au lait jusqu'à maturité, ce qui leur procure une chair tendre et juteuse. On propose sous l'appellation «cochonnet 100% lait» un porc nourri uniquement au lait. Abattu avant d'atteindre sa pleine maturité, il a une viande goûteuse entre le cochon de lait et le porc traditionnel. Au comptoir du Marché Jean-Talon, à Montréal, on trouve le cochon de lait entier ou en morceaux ainsi que des produits de charcuterie et des produits fumés.

Porcmeilleur
Sainte-Madeleine
Région: Montérégie
514 276-4872

LES HARENGS FUMÉS CONSERVÉS DANS L'HUILE
de Francine Desrosiers et Jean-Marc Ouellet

Gaspé Salaisons prépare les harengs comme on le fait en France. Les filets dépiautés sont fumés légèrement, puis sont mis à macérer dans l'huile avec des rondelles de carottes, des rondelles d'oignons, du thym, des feuilles de laurier, des grains de poivre et des aromates. Ce sont ces filets que l'on utilise pour le grand classique de bistro parisien, les harengs pomme à l'huile.

Gaspé Salaisons
Les Méchins
Région: Bas-Saint-Laurent
418 729-3848

ÈVE *MALTAIS*

La cuisine de la jeune chef québécoise installée en Suède est une fusion entre ces deux gastronomies septentrionales. Après avoir fait la réputation de l'auberge Drakamõllan, Ève Maltais offre maintenant un service de traiteur. En attendant d'ouvrir son propre restaurant.

Photo: Lars Strandberg

« Ma cuisine est spontanée, contemporaine et allégée : elle reflète ce que j'ai appris au fil des ans, en voyageant. »

Ève Maltais passe son enfance dans une maison ancestrale d'où l'on voit le fleuve Saint-Laurent, l'île d'Orléans et la ville de Québec. Ses parents aiment recevoir autour de la grande table de réfectoire, une coutume qui fait germer chez Ève les prémisses d'une passion pour les arts de la table: «Mes parents m'ont donné l'inspiration culturelle de bien manger et d'avoir du plaisir à le faire, en plus de me transmettre leur ouverture d'esprit. De là m'est venu le goût d'explorer le monde de la gastronomie.»

Ève Maltais commence par étudier l'art au cégep du Vieux-Montréal. Elle s'initie à la restauration par la petite porte, en étant d'abord plongeur, serveuse puis cuisinière dans un petit restaurant végétarien. Lorsqu'une faillite force les propriétaires à fermer boutique, Ève, avec un ami, décide de louer l'endroit. À 21 ans, pleine d'énergie, mais sans expérience, la voilà chef et copropriétaire d'un restaurant rebaptisé Le P'tit Plateau, à l'angle des rues Marie-Anne et Drolet! Josée Blanchette, critique au journal *Le Devoir*, fréquente cette table. On la voit parfois dans la cuisine, attentive à la manière dont Ève façonne ses tartes. «Je serai ici samedi pour faire une chronique!» lui annonce-t-elle un jour. L'article transforme le destin du petit restaurant, qui fait jusqu'à trois services consécutifs par soir. Le P'tit Plateau devient un «must» dans ce quartier traversé par la rue Saint-Denis et par le boulevard Saint-Laurent.

Huit ans plus tard, Ève Maltais vend son restaurant à d'autres passionnés et part pour l'Europe, qu'elle veut visiter en exerçant son métier ici et là. À l'issue d'un séjour en Corse, elle apprend qu'une caravane de saltimbanques suédois embauche des jeunes pour des tâches diverses. Elle ne pouvait pas espérer mieux pour voyager. Deux semaines plus tard, rien ne va plus chez les cuisiniers de la cantine dont le menu suscite la grogne. Le personnel se met en grève, les patrons paniquent, les cuistots sont congédiés... et Ève est promue chef!

Après des mois de nomadisme, Ève Maltais revient au Québec, mais elle accepte bientôt l'invitation d'un ami suédois à lui rendre visite. Lors d'une balade à la campagne, Ève fait la connaissance d'Ingalill Thorsell, une aubergiste qui cherche quelqu'un pour s'occuper de la cuisine. Ève lui propose un partenariat 50-50.

Boulettes de viande, gibier, poissons, baies sauvages... La Suède est héritière d'une forte tradition culinaire qui n'est pas étrangère aux palais québécois. La cuisine d'Ève Maltais privilégie donc les produits du terroir régionaux et les denrées indigènes, ainsi que les plantes comestibles poussant autour de l'auberge.

Cela donne une cuisine rassurante, d'une simplicité véritable et à la fois d'une ingénieuse créativité. La simplicité se présente sous forme d'une goûteuse salade de betteraves au vinaigre fin aromatisée et relevée de graines de cumin. L'assiette creuse garnie d'une mosaïque de saumon, de moules, de crevettes, de pétoncles et de flétan, à l'aïoli et au safran se rapproche de la bouillabaisse gaspésienne. Les saveurs océanes sont aussi présente dans le fameux gâteau au crabe, dont la brochette montée à la verticale dévoile un kaléidoscope de fruits et de légumes posé sur une garniture de tiges de pissenlit et un cornichon à la scandinave. Étonnante Ève qui a introduit au pays des Vikings la fameuse tourtière du Lac-Saint-Jean, sa célèbre tarte Le P'tit Plateau aux pommes caramélisées, l'osso buco à sa façon et des douceurs aux baies et petits fruits nordiques: fraises, framboises, bleuets, mûres, airelles, ainsi que sureau, qu'elle apprête en sirop pour relever plusieurs ses créations. «Je suis curieuse, j'aime faire découvrir de nouveaux goûts, je suis aventureuse, j'aime les couleurs, les saveurs, faire des mélanges.»

Avec une table aussi alléchante, la réputation du Drakamöllan, qui à l'origine n'était qu'un simple

café-couette offrant gîte et petit déjeuner, se répand et la popularité de la jeune femme fait de même. Un magnifique livre de cuisine signé des deux partenaires paraît en suédois. L'ouvrage est vendu à 6000 exemplaires et son succès propulse Ève Maltais dans la confrérie des grandes toques. Ève anime en même temps des émissions de cuisine à la télévision nationale.

Au retour d'un autre bref séjour au Québec, Ève quitte Ingalill. Cette dernière a une approche assez traditionnelle de la cuisine, tandis que, plus intrépide, Ève désire offrir des plats reflétant davantage sa créativité. Elle propose alors à partir de son domicile un service de traiteur offrant les spécialités qui firent son succès à l'auberge, en attendant d'ouvrir un jour son propre restaurant, dans l'un ou l'autre pays.

Ève anime aujourd'hui, avec le musicien pédagogue Jonas Jonasson, une série télévisée intitulée *Musique & Marmite*, destinée aux enfants de 4 à 6 ans. Il s'agit de les familiariser avec les aliments, les sensibiliser à leur forme et à leur texture, leur apprendre à faire la cuisine et à aimer la faire. Le but final est d'élaborer une méthode pédagogique sous la forme à la fois d'un livre, d'un film pour les éducateurs et d'une vidéo interactive destinée aux enfants. S'il est mené à bien, ce projet est appelé à s'intégrer au programme du réseau des garderies sur l'ensemble du territoire suédois.

LE MENU

Soupe de pois verts au sureau
et au vin mousseux

• • • • • • • • • • •

Confit d'agneau
à l'huile d'olive

• • • • • • • • • • •

Rhubarbe en cocotte

• • • • • • • • • • •

TOMELILLA GOLFKROG

Bistro et traiteur

Ullstorp 122
273 94 Tomelilla, Suède
(46) 44 35 12 99 et (46) 70 359 58 28
www.tomelillagolfkrog.com

SOUPE DE POIS VERTS AU SUREAU ET AU VIN MOUSSEUX

Pour 6 à 8 personnes

Préparation: 10 min
Cuisson: 6 min environ

Ingrédients

600 g de petits pois frais (ou surgelés)
1 oignon haché finement
1 gousse d'ail, hachée finement
½ piment fort rouge, haché finement
15 ml (1 c. à soupe) de gingembre frais, haché finement
30 ml (2 c. à soupe) d'huile d'olive
15 ml (1 c. à soupe) de beurre
1 litre (4 tasses) de bouillon de légumes ou de poulet
100 ml (⅓ tasse) de gelée aux fleurs de sureau
200 ml (¾ tasse) de Crémant de pommes du Minot ou de vin blanc mousseux sec
Sel et poivre
100 ml (⅓ tasse) de yogourt nature
Fleurs saisonnières comestibles bio
15 ml (1 c. à soupe) de ciboulette, hachée finement

- Faire revenir l'oignon, l'ail, le piment et le gingembre dans l'huile et le beurre. Faire suer à feu moyen sans faire brunir.
- Ajouter les petits pois et faire sauter de 2 à 3 minutes, pas plus, pour qu'ils gardent leur couleur; ajouter le bouillon.
- Passer au mélangeur, ajouter la gelée de sureau, le cidre, saler et poivrer; rectifier l'assaisonnement. Réfrigérer.
- Servir frais dans un verre à cocktail ou dans une assiette à soupe, garnir de yogourt, ajouter une fleur et la ciboulette.

CONFIT D'AGNEAU À L'HUILE D'OLIVE

Pour 4 à 8 personnes

Préparation: 45 min
Cuisson: 1 à 1 ½ h

Ingrédients

1 gigot d'agneau désossé
8 gousses d'ail, écrasées
8 feuilles de laurier
20 grains de poivre, écrasés au mortier
10 clous de girofle, écrasés au mortier
10 grains de quatre-épices, écrasés au mortier
1 bouquet de thym frais
4 branches de romarin
1 citron en morceaux
1 L d'huile d'olive
Sel de mer
Beurre, huile

Sauce

1 oignon rouge haché
1 gousse d'ail hachée
30 ml (2 c. à soupe) de vinaigre balsamique
125 ml (½ tasse) de vin rouge
250 ml (1 tasse) de bouillon
5 ml (1 c. à thé) de thym
1 feuille de laurier
30 ml (2 c. à soupe) d'huile d'olive

- Préchauffer le four à 90°C (195°F).
- Détailler le gigot en quatre petits gigots en suivant le fil de la viande, enlever le gras et les nerfs; saler, poivrer, rouler et ficeler.
- Dans un poêlon, faire dorer de tous les côtés les morceaux de viande dans un peu d'huile et de beurre bien chauds. Transférer dans une cocotte.
- Ajouter les épices, l'ail écrasé, le thym, le romarin, le laurier et le citron.
- Couvrir d'huile d'olive.
- Placer la casserole au four à 90°C (195°F) de 1 heure à 1 ½ heure environ, selon la grosseur des morceaux; la température intérieure doit atteindre 56°C (133°F) pour une viande encore saignante (utiliser un thermomètre). Sortir les morceaux et les égoutter sur du papier absorbant; laisser reposer au moins 10 minutes dans un papier d'aluminium avant de trancher.
- Sauter l'oignon dans l'huile d'olive jusqu'à ce qu'il soit légèrement doré. Ajouter l'ail, déglacer avec le vinaigre, laisser réduire de moitié puis verser le vin rouge et le bouillon. Incorporer les herbes, laisser mijoter une minute. Saler et poivrer.
- Accompagner de pommes de terre au four ou en gratin, de betteraves gratinées au fromage de chèvre et miel ou d'autres légumes de saison, des haricots verts sautés à l'ail, par exemple.

RHUBARBE EN COCOTTE

Pour 6 ramequins

Préparation: 20 min
Cuisson: 15 min

Ingrédients

Garniture
3 à 5 tiges de rhubarbe, lavées et épluchées
30 ml (2 c. à soupe) de sucre
15 ml (1 c. à soupe) de beurre

Pâte
100 g (1⁄3 tasse) de beurre
100 ml (1⁄3 tasse) de sucre
2 œufs, jaunes et blancs séparés
30 ml (2 c. à soupe) de farine
100 g (3⁄4 tasse) d'amandes émondées, hachées grossièrement

Crème fouettée au Calvados
150 ml (2⁄3 tasse) de crème à fouetter
30 ml (2 c. à soupe) de Calvados
15 ml (1 c. à soupe) de sucre à glacer

- Préchauffer le four à 200 °C (400 °F).
- Beurrer et saupoudrer de sucre six ramequins. Couper la rhubarbe en tronçons de 1 cm et remplir les ramequins jusqu'à mi-hauteur; réserver.
- Battre le beurre en crème, ajouter le sucre et continuer de battre pour obtenir une consistance légère. Ajouter un à un les jaunes d'œufs. Incorporer la farine et les amandes. Battre les blancs d'œufs en neige ferme et incorporer délicatement en deux fois.
- Remplir chaque ramequin de pâte. Enfourner et cuire pendant 15 minutes.
- Servir chaud accompagné de crème fouettée sucrée et aromatisée au Calvados.

LE VEAU CHARLEVOIX
de Jean-Robert Audet

Jean-Robert Audet élève des veaux depuis 1980. Agronome de formation, il a créé le «Veau Charlevoix», un veau mi-lait, mi-grain, ce qui donne une viande plus persillée, tendre et de saveur délicate mais bien marquée. Contrairement au veau élevé commercialement, le «Veau Charlevoix» ne reçoit aucune hormone de croissance. On le nourrit d'un mélange de lait et de maïs jusqu'à son abattage à l'âge de 6 mois ou quand il atteint 600 livres, et on le laisse vieillir pendant 10 jours.

Le Veau Charlevoix
Clermont
Région: Charlevoix
418 439-4061 /
1-800-260-4258
www.veaucharlevoix.com

LA GELÉE DE SUREAU
de Jacinthe Desmarais et Sylvain Mercier

Les deux fondateurs et propriétaires du Verger du Sureau unissent leurs forces et leurs passions depuis plusieurs années afin de développer la culture du sureau et de faire connaître cette petite baie qui doit sa couleur mauve foncé aux anthocyanes, un puissant antioxydant. Ils offrent des produits gourmands biologiques (gelées, confitures et vinaigrettes) ainsi que des produits médicinaux (sirops, onguents, teintures et tisanes).

SURO
Saint-Bernard-de-Lacolle
Région: Montérégie
450 246-2255

LE CRÉMANT DE POMME DU MINOT
de Joëlle et Robert Demoy

Le couple Demoy a quitté sa Bretagne natale à la fin des années 1970 pour s'établir au Québec. Robert, œnologue diplômé de l'Université de Bordeaux, est reconnu dans l'industrie québécoise du cidre pour son expertise ainsi que pour ses méthodes à la fois artisanales et innovatrices. Ils produisent en 1988 la première cuvée de leur réputé Crémant de pomme du Minot, qui deviendra le premier alcool artisanal québécois à être mis en vente à la SAQ. Ce délicieux cidre mousseux demeure à ce jour le produit vedette de la cidrerie.

Cidrerie du Minot
Hemmingford
Région: Montérégie
450-247-3111
Site Internet: www.duminot.com

LE GRAND 2
de Guylaine Rivard, Louis Arsenault et Charles Trottier

Ce fromage est élaboré avec le lait des vaches de la ferme auquel s'ajoute 30% de lait de chèvre d'un élevage voisin. Des laits crus certifiés biologiques. Le Grand 2 évoque à la fois le nom populaire du rang, autrefois à vocation fromagère, et les deux laits qui le composent. Sous sa croûte cuivrée se cache une pâte ferme mais souple. Ce fromage se distingue par un léger goût de lait de chèvre, balancé par la douceur du lait de vache. Doux et lactique, rappelant le beurre, son goût s'affine avec le temps pour donner des notes torréfiées de chicorée et de fruit acidulé. L'étiquette réalisée par Robert Julien illustre «l'heure de la traite».

Fromagerie des Grondines
Deschambault-Grondines
Région: Portneuf (Capitale-Nationale)
418-268-4969

FRANCA *MAZZA*

Après avoir contribué au succès de Il Mulino, le restaurant de ses parents, Franca Mazza décide de voler de ses propres ailes. Elle crée un service de traiteur haut de gamme dont la réputation, aujourd'hui, dépasse largement les frontières du Québec. De sa cuisine s'échappent les parfums de l'Italie de son enfance et d'ici.

« J'ai besoin du contact avec le client. Quand il revient, je connais ses goûts. Il est mon guide, mais il doit être honnête envers moi et me dire la vérité. »

Franca a neuf ans lorsque les Mazza quittent leur Italie natale pour émigrer au Québec. Elle partage alors son temps entre l'école et la pizzeria Frank, rue Saint-Zotique, au cœur de la Petite Italie, où, inlassablement, elle regarde travailler ses parents. Jusqu'à ce qu'elle finisse par mettre elle-même la main à la pâte.

De Carlopoli, petit hameau sylvestre et agricole de la province de Catanzaro, perché à 1300 mètres d'altitude au cœur de la Sila calabraise où elle est née, Franca garde le souvenir des produits simples et authentiques que la nature dispense généreusement. C'est là qu'elle a découvert les traditions culinaires familiales et régionales. C'est de là que lui viennent le respect et l'admiration qu'elle porte aux fournisseurs, cueilleurs, agriculteurs et éleveurs avec qui elle travaille aujourd'hui.

À la fin des années 1980, les Mazza ouvrent leur propre restaurant, presque en face de chez Frank. Les critiques sont dithyrambiques. En quelques semaines à peine, Il Mulino s'impose comme l'une des meilleures tables italiennes de Montréal, sinon du Québec. Franca laisse alors tomber son métier d'agent de bord et se joint à ses parents à temps plein. Elle est d'abord chargée de l'approvisionnement du garde-manger. Avec son père, elle va cueillir les produits champêtres qu'il intègre à ses plats: asperges sauvages, pousses de pissenlit, asclépiade et nombre d'herbes, de champignons et de petits fruits auxquels les Québécois ne s'intéressent généralement pas.

Avec sa passion pour une cuisine d'avant-garde, Franca influence la cuisine de Il Mulino. Elle se découvre du talent et une grande confiance en elle. Son rôle en cuisine se raffine, se précise: «Au Mulino, mamma s'occupait de la pasta, papa des viandes, des poissons et des légumes, et moi, j'apportais ma créativité. Nous étions en symbiose parfaite.»

En 2000, les Mazza vendent leur restaurant. Franca passe alors quelque temps à New York comme chef invité: sa personnalité et le raffinement de sa cuisine font la conquête des gourmets. « Après Il Mulino, j'ai eu besoin de bouger, d'aller vers autre chose. J'aime le changement et j'éprouve un urgent besoin de créer, d'innover. C'est ma façon de vivre.» De retour à Montréal, elle devient chef du restaurant du golf d'Anjou, Aux Quatre Vents. Bien vite, on y vient non pas pour jouer au golf, mais pour déguster ses créations culinaires. Franca rejoint ensuite la brigade de Milos, un restaurant grec huppé de l'avenue du Parc où affluent les amateurs de poisson et de fruits de mer. Et puis, un jour, elle se dit qu'elle est parvenue au terme de son apprentissage et que, pour s'épanouir, elle doit être maître à bord de son navire.

Elle veut désormais se consacrer à la mise en valeur de sa cuisine, telle qu'elle entend la faire et la diffuser. Et, pour cela, elle doit créer sa propre entreprise. Son projet: offrir un service de traiteur. Le Marché Public 440, à Laval, au nord de l'île de Montréal, lui permet de le réaliser. Cet espace qui se renouvelle de fond en comble lui inspire un concept original: tout en étant traiteur, elle dispensera des cours de cuisine. Elle y aménage donc l'Atelier de Franca Mazza, dont une partie de l'approvisionnement vient des producteurs maraîchers et des commerçants du Marché, dont les étals et les boutiques regorgent de produits fins. Chaque semaine, les gourmets font une pause pédagogique et épicurienne dans son atelier, où les séances sont suivies d'une dégustation.

Les bouchées de Franca Mazza, traiteur, se retrouvent dans les réceptions les plus chic et branchées. «Je suis aussi à l'aise de cuisiner dans une ruelle et dans un camion que de préparer des réceptions pour cent ou pour mille convives... La cuisine, c'est l'endroit où je devais être!»

L'ATELIER DE FRANCA MAZZA

Cuisine italienne

Marché 440 – Laval
514 214-9723 ou 450 681-0559
www.francamazza.com

SOUPE DE POISSON, SAFRAN ET POMMES DE TERRE

Pour 4 personnes

Préparation: 15 min
Cuisson: 10 min

Ingrédients

1 kg (2 lb) de lotte coupée en tranches de 2,5 cm (1 po)
1 petit oignon haché grossièrement
2 gousses d'ail écrasées
2 pommes de terre coupées en petits cubes
2 courgettes coupées en cubes assez gros
Une pincée de safran espagnol
45 ml (3 c. à soupe) d'huile d'olive
750 ml (3 tasses) d'eau

- Faire suer dans l'huile l'oignon et l'ail dans une casserole, ajouter les pommes de terre, la lotte, la courgette, verser l'eau et ajouter le safran.
- Amener à ébullition, couvrir et cuire 8 minutes environ ou jusqu'à ce que les pommes de terre soient cuites.
- Disposer dans de larges assiettes creuses les morceaux de lotte entourés des légumes et du bouillon.

CAPRETTO AL FORNO

Pour 6 personnes

Préparation: 20 min
Cuisson: 2 h

Ingrédients

Chevreau

1 pièce de chevreau (gigot, épaule, ou autre)
2 feuilles de laurier
Huile d'olive
Poivre
Gros sel
125 ml (½ tasse) de beurre
100 ml (⅓ tasse) de vin de glace

Accompagnement

500 ml (2 tasses) de petits oignons blancs, *cipollini* si possible
45 ml (3 c. à soupe) d'huile d'olive
60 ml (¼ tasse) de vinaigre balsamique

- Préchauffer le four à 225 °C (450 °F).
- Huiler généreusement le fond d'une cocotte, y déposer le chevreau et le laurier; saler, poivrer. Enfourner et faire dorer de tous les côtés.
- Couvrir d'eau le fond de la casserole; badigeonner le chevreau de beurre et mouiller de vin de glace.
- Baisser la température du four à 180 °C (350 °F).
- Couvrir et faire braiser au four pendant 1 h 30 à 2 heures en arrosant le chevreau de temps en temps.
- Faire revenir dans l'huile d'olive les *cipollini* et cuire à feu doux; verser le vinaigre balsamique et laisser réduire un peu.
- Servir le chevreau entouré des *cipollini* ou des petits oignons blancs et accompagner de polenta torta mascarpone.

POLENTA TORTA MASCARPONE

Pour 6 personnes

Préparation: 5 min
Cuisson: 5 à 6 min

Ingrédients

150 ml (⅔ tasse) de semoule de maïs
625 ml (2 ½ tasse) d'eau
250 g (1 tasse) de torta mascarpone
100 g (1 tasse) de parmesan râpé
Sel et poivre

- Faire cuire la polenta selon les instructions sur l'emballage.
- Incorporer les fromages; saler et poivrer.
- Verser dans de petits ramequins individuels, saupoudrer de parmesan et réchauffer au four avant de servir.

RICOTTA AU SUCRE ET AU CAFÉ

Pour 4 personnes

Préparation: 5 min

Ingrédients

1 contenant de 500 grammes de ricotta
60 ml (4 c. à soupe) de sucre blanc
1 gousse de vanille ou 5 ml (1 c. à thé) d'extrait de vanille
5 ml (1 c. à thé) de café espresso frais moulu.

- Dans un bol, mélanger la ricotta, le sucre et la vanille; réfrigérer.
- Servir au dessert dans des petits bols de porcelaine. Saupoudrer de café frais moulu.

LES LÉGUMES ET PRIMEURS SAISONNIÈRES

des frères Lino et Bruno Birri

D'avril à novembre, les frères Birri ont leurs étals au Marché Jean-Talon. On y trouve, au rythme des saisons, primeurs, légumes, légumineuses et fruits. Au printemps, on s'y procure les plants d'herbes, de légumes ou de fruits... une bonne adresse!

Birri et Frères
Marché Jean-Talon
Montréal
514 276-3202
www. birrietfreres.com

LES FROMAGES DE CHÈVRE ET LE CHEVREAU

de Maria et Antonio Diodati

De leur Italie natale, Maria et Antonio Diodati ont précieusement conservé la recette d'un petit fromage de chèvre qui se mange frais ou vieilli, nature ou assaisonné aux herbes, aux olives, au pesto, au piment fort, aux noix ou au poivre. Depuis 1972, ils élèvent en liberté des brebis et des chevreaux nourris au grain. À la boutique de la fromagerie sont aussi proposées des charcuteries et de la viande de chevreau.

Ferme Diodati
Les Cèdres
Région: Montérégie
450 452-4249

LE FOIE GRAS

des Élevages Périgord

Fondée en 1993, Élevages Périgord est le deuxième producteur de foie gras en Amérique. L'entreprise française contrôle entièrement la production de canard à foie gras, de la naissance jusqu'à la transformation. Le croisement de la cane de Pékin et du canard de Barbarie donne naissance à des canards mulards, un hybride stérile. Pendant 12 semaines, ces petits mulards sont élevés et nourris aux grains à prédominance de maïs, sans antibiotiques et sans vaccin jusqu'à l'étape du gavage.

Élevages Périgord
Saint-Louis-de-Gonzague
Région: Montérégie
450 377-8766 ou 1-800-494-2577
www.perigord.ca

LE VIN DE GLACE
de l'Orpailleur

Fondé en 1845, Dunham, le premier canton du Bas-Canada, est la première ville du Québec à voir s'implanter de grands vignobles. C'est en 1982 que les viticulteurs français Hervé Durand et Charles-Henri de Coussergues se lancent dans l'aventure du vin. À l'automne 1985, la première récolte du vignoble donne 15 000 bouteilles d'un vin blanc que Gilles Vigneault baptise L'Orpailleur, qui signifie « chercheur d'or». Le vignoble propose aujourd'hui une dizaine de produits, dont le vin de glace. Ce vin très particulier est produit à partir de raisins surmaturés d'octobre à janvier, ce qui entraîne une dessiccation des baies et donne un jus à la fois plus riche et plus concentré.

Vignoble de l'Orpailleur
Dunham
Région: Estrie
450 295-2763
www.orpailleur.ca

LES FLEURS ET GELÉES DE LAVANDE
de Pierre Pellerin et Christine Deschesnes

Le domaine est situé sur une colline surplombant la baie de Fitch. Dans ce paysage bucolique des Cantons-de-l'Est, les plants de lavande bénéficient de la chaleur et de la lumière nécessaires à leur croissance. L'entreprise transforme la fleur de lavande en produits cosmétiques et l'utilise en aromate pour la gelée, le chocolat et la tisane.

Bleu Lavande
Stanstead
Région: Estrie
819 876-5851
www.bleulavande.ca

MARIE-SOPHIE *PICARD*

Marie-Sophie Picard conçoit ses assiettes comme des œuvres d'art. La source de sa poésie culinaire se trouve peut-être dans la nature qu'elle contemple comme un peintre se laisse éblouir par ses sources d'inspirations.

« Le secret, c'est l'audace, celle de ne pas s'imposer de limites. »

En 1988, Marie-Sophie Picard, qui vient d'avoir 16 ans, est embauchée comme plongeuse au café bistro Le Hobbit, rue Saint-Jean, à Québec. Elle gravit rapidement les échelons, préparant d'abord les petits déjeuners, puis les repas du soir. Elle s'implique si passionnément dans son travail que le chef lui conseille d'exploiter son talent. Un an plus tard, Marie-Sophie s'installe à Montréal, où elle étudie à l'Institut de tourisme et d'hôtellerie du Québec. L'influence du professeur Jean-Paul Grappe, qui y enseigne la cuisine évolutive, est déterminante: «Il m'a montré à saisir la cuisine. Ça ne consiste pas seulement à la préparer, mais, en premier lieu, à l'aborder.»

À la fin de son cours, elle suit une série de stages de perfectionnement auprès de chefs français réputés: Georges Blanc, à Vonnas, Jean-Yves Schillinger, à Colmar, Jean-Paul Thibert, à Dijon, Jean-Pierre Senelet, à Beaune.

Lorsqu'elle revient au Québec, la tendance parmi les chefs est de se distancier des grands classiques de la cuisine française et de créer des plats inspirés de terroirs régionaux, dont ils stimulent parfois même le développement. Marie-Sophie travaille, entre autres, au restaurant Citrus, à Montréal, auprès de Christine Lamarche et de Normand Laprise, qui vont bientôt fonder Toqué!, ainsi qu'au Laurie Raphaël créé à Québec par Daniel Vézina. Touche-à-tout, elle est animatrice d'ateliers, formatrice en cuisine actualisée, styliste culinaire, traiteur... On la remarque au point qu'elle est désignée, en 1995, Femme chef de la relève. Mais ce n'est pas encore assez puisque, cinq ans plus tard, elle est à la tête des cuisines de la Délégation générale du Québec à Paris. Elle quitte ce poste en octobre 2001, pour aller diriger les cuisines du restaurant Le 37, ouvert à Rouen par Gilles Tournadre. Elle charme la critique française par sa maîtrise, par la justesse de ses cuissons ainsi que par l'esthétique de ses assiettes, qu'elle conçoit comme des œuvres d'art. Dans *L'Express*, Jean-Luc Petitrenaud parle d'une «partition formidable». Et c'est elle qui est aux fourneaux quand le Guide Michelin décerne deux étoiles au 37.

En 2004, elle revient au pays et démarre un service de traiteur à domicile, Marie aux fourneaux. Elle cuisine chez ses clients, enseigne et dirige des ateliers destinés aux enfants comme aux adultes. Cinq ans plus tard, une pause dans sa carrière la ramène vers la Gaspésie ainsi que dans la région du Bas-Saint-Laurent où, visiblement, son cœur attendait, à l'ancre, qu'elle revienne. C'est ainsi qu'elle accepte sans hésiter l'invitation de Carole Faucher et de Jean Rossignol, propriétaires de l'Auberge du Mange Grenouille, de se joindre à leur équipe. L'endroit est magnifique et la vue sur le fleuve est d'autant plus renversante que s'y déploie l'étrange paysage du parc national du Bic. «Je pense que c'est un des plus beaux pays du monde. Le Bic est à mi-chemin entre la mer et la montagne, les deux éléments qui font ce que nous sommes, qui nous nourrissent.»

Elle prend donc en charge, au printemps 2010, les cuisines du Mange Grenouille. Pour souligner son arrivée, elle crée un menu saisonnier autour de l'érable, qu'elle intègre dans l'apprêt des viandes, des poissons, des fruits et des légumes.

Les recettes créées par Marie-Sophie Picard font la place belle aux produits de sa région d'origine. Agneau, veau, mais, surtout, homard, crabe, saumon et truite. Un secret? Les herbes. «Les herbes donnent une belle teinte à la cuisine. Comme une peinture, on ajoute un peu de blanc ou de noir, et la palette est différente.»

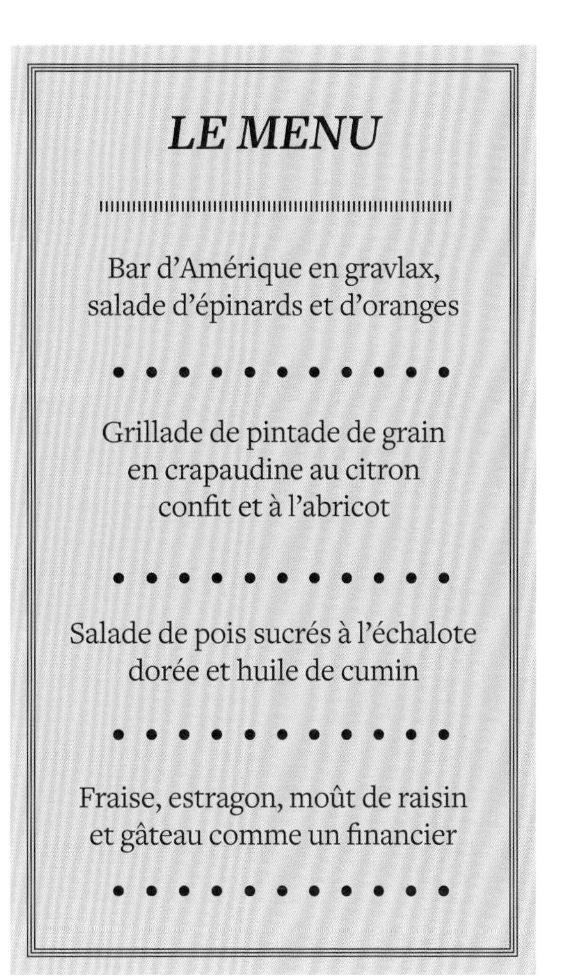

AUBERGE DU MANGE GRENOUILLE

Cuisine d'ici avec un accent fluvial

148, rue Sainte-Cécile
Le Bic
418 736-5656
www.aubergedumangegrenouille.qc.ca

BAR D'AMÉRIQUE EN GRAVLAX ET SALADE D'ÉPINARDS ET D'ORANGES

Pour 4 personnes

Préparation: 25 min
Temps de repos: 24 h

Ingrédients

Gravlax

1 lb (500 g) de bar d'Amérique, en filet avec la peau
500 ml (2 tasses) de sel fin
500 ml (2 tasses) de sucre
1 zeste d'orange finement râpé
15 ml (1 c. à soupe) de poivre concassé
15 ml (1 c. à soupe) de graines de coriandre concassées
30 ml (2 c. à soupe) d'aneth frais haché

Salade

500 ml (2 tasses) d'épinards
2 oranges pelées à vif coupées en fines rondelles
30 ml (2 c. à soupe) de ciboulette hachée
5 ml (1 c. à thé) de fleur de sel
Poivre
30 à 45 ml (2 à 3 c. à soupe) d'huile d'olive
30 ml (2 c. à soupe) de vinaigre balsamique blanc

- Dans un bol, mélanger le sel et le sucre.
- Frotter le bar avec le zeste d'orange et l'enrober de poivre et de coriandre concassés ainsi que d'aneth haché.
- Dans un contenant assez grand pour contenir le filet de poisson, verser une fine couche du mélange sel-sucre. Y déposer le filet de bar, recouvrir du reste du mélange. Couvrir d'un papier-film ou d'un couvercle et réfrigérer 24 heures.
- Dessaler, à l'aide d'un couteau bien affûté, puis couper le filet en fines tranches; réserver.
- Dans un grand saladier, mélanger tous les ingrédients de la salade, rectifier l'assaisonnement et servir en accompagnement du gravlax.

Note: le gravlax se conserve de 5 à 7 jours au réfrigérateur.

GRILLADE DE PINTADE DE GRAIN EN CRAPAUDINE AU CITRON CONFIT ET À L'ABRICOT

Pour 4 personnes

Préparation : 1 h
Cuisson : 1 à 1 ½ h

Ingrédients

1 pintade de grain d'environ 1,5 kilo (3 lb) coupée en crapaudine (fendue par le dos puis aplatie)
200 g (1 tasse) de gros sel
2 tiges de thym frais, effeuillées
2 feuilles de laurier émiettées

Farce au citron confit et abricots
100 g (⅓ tasse) de beurre ramolli (pommade)
125 ml (½ tasse) d'abricots secs coupés en cube de ½ cm
180 ml (¾ de tasse) de coriandre fraîche hachée
1 citron confit coupé en cubes de ½ cm
2 gousses d'ail, hachées finement
15 ml (1 c. à soupe) de grains de cumin, grillés puis concassés
2,5 ml (½ c. à thé) de sel
3 tours de moulin de poivre noir

Laque
60 ml (¼ de tasse) de fond de volaille
30 à 45 ml (2 à 3 c. à soupe) de gelée ou de confiture d'abricots

- Préchauffer le four à 190 °C (375 °F).
- Dans un cul-de-poule, mélanger le gros sel, le thym et le laurier. Frotter la pintade avec ce mélange. Mettre dans un plat recouvert d'une pellicule plastique et laisser mariner au réfrigérateur 2 heures. À l'aide d'un linge, bien essuyer la pintade pour enlever le sel.
- Mélanger les ingrédients de la farce à l'aide d'une cuillère de bois. Délicatement, détacher et soulever la peau de la pintade sur les poitrines et les cuisses, sans la déchirer, et insérer la farce.
- Couper le dos de la pintade en longueur, écarter les deux parties et aplatir la volaille pour lui donner l'allure d'un crapaud. Pour qu'elle garde une belle forme, l'embrocher à l'aide de 2 brochettes de bambou en forme de X.
- Pour la préparation de la laque, chauffer le fond de volaille et réduire du tiers, ajouter la gelée d'abricot.
- Sur un gril préalablement chauffé, faire griller la pintade de 4 à 5 minutes de chaque côté.
- Déposer la pintade dans un plat allant au four, badigeonner de laque et enfourner pendant 1 heure à 1 ½ heure en prenant soin d'arroser fréquemment avec le jus de cuisson. Laisser reposer 15 minutes après cuisson.
- Accompagner d'une montagne de frites maison et d'une salade de pois sucrés à l'échalote rôtie et à l'huile de cumin. (Recette à la page suivante)

SALADE DE POIS SUCRÉS À L'ÉCHALOTE DORÉE ET HUILE DE CUMIN

Pour 4 personnes

Préparation: 15 min
Cuisson: 10 min

Ingrédients

250 g (½ lb) de pois sucrés
2 à 3 échalotes émincées
15 ml (1 c. à soupe) de beurre
15 ml (1 c. à soupe) de persil haché
15 ml (1 c. à soupe) de ciboulette hachée
60 ml (¼ tasse) d'huile de cumin
Fleur de sel et poivre

- Cuire les pois sucrés à grande eau salée; égoutter et refroidir. Dans une poêle, faire fondre le beurre à feu moyen, ajouter les échalotes et faire dorer jusqu'à coloration caramel. Refroidir sur un papier absorbant.
- Dans un grand bol, mélanger tous les ingrédients. Rectifier l'assaisonnement.

HUILE DE CUMIN

Pour 500 ml (2 tasses)

Préparation: 30 min
Cuisson: 5 min

Ingrédients

500 ml (2 tasses) d'huile de pépin de raisin
60 ml (4 c. à soupe) de graines de cumin
2 gousses d'ail avec peau légèrement écrasées
1 tige de thym frais
1 feuille de laurier
5 ml (1 c. à thé) de sel de mer fin

- Dans une casserole, faire griller à feu vif les graines de cumin; les retirer et les concasser au mortier.
- Remettre dans la casserole, ajouter les gousses d'ail, le thym, le laurier et le sel. Chauffer de 1 à 2 minutes, en remuant. Ajouter l'huile et chauffer quelques minutes. Retirer du feu, couvrir et laisser refroidir.

Note: cette huile se conserve 3 mois au réfrigérateur.

FRAISES, ESTRAGON, MOÛT DE RAISIN ET GÂTEAU COMME UN FINANCIER

Pour 4 personnes

Préparation: 1 h
Cuisson: 20 min

Ingrédients

Sirop à l'estragon
125 ml (½ tasse) d'eau
125 ml (½ tasse) de sucre de canne
4 à 5 branches d'estragon frais
¼ de gousse de vanille grattée (ou ½ c. à thé d'extrait de vanille)

Financier
70 g (⅓ tasse) de beurre
50 g (⅓ tasse) de poudre d'amande grillée
75 g (¾ tasse) de sucre à glacer tamisé
25 g (¼ tasse) de farine tamisée
2ml (½ c. à thé) de cannelle moulue
2 blancs d'œufs en neige ferme

Fraises
400 g de fraises coupées en deux sur la longueur
45 ml (3 c. à soupe) de jus ou de moût de raisin
60 ml (¼ de tasse) de sirop d'estragon
15 ml (1 c. soupe) d'estragon frais ciselé

Accompagnement
4 boules de sorbet à la fraise

- Pour le sirop à l'estragon, mettre les ingrédients dans une casserole et amener à ébullition. Retirer du feu, couvrir et laisser infuser 1 heure. Ce mélange se garde facilement un mois au réfrigérateur.
- Préchauffer le four à 190 °C (375 °F).
- Beurrer et fariner des moules à financier ou des moules à mini muffins.
- Dans une petite poêle, faire fondre le beurre; laisser mousser et retirer du feu lorsqu'il aura atteint une belle couleur noisette; verser dans un cul-de-poule et laisser refroidir.
- Dans un bol, mélanger la poudre d'amande, le sucre glace, la farine et la cannelle. Ajouter le beurre noisette et mélanger. À l'aide d'une spatule, incorporer délicatement les blancs d'œufs montés en neige ferme.
- Verser dans les moules et cuire au four de 15 à 20 minutes. Laisser refroidir avant de démouler.
- Dans un grand bol, ajouter aux fraises le moût de raisin, le sirop à l'estragon et l'estragon frais ciselé.
- Déposer la salade de fraises dans une assiette creuse, surmonter d'une boule de sorbet à la fraise. Présenter les financiers légèrement saupoudrés de sucre glace.

LE VAL AMBRÉ ET LE CHARLES-AIMÉ ROBERT

de Vallier Robert et Nathalie Decaigny

Le Domaine Acer a donné un nouveau souffle à l'industrie acéricole québécoise en transformant la sève d'érable en diverses boissons alcoolisées. En 1996, Vallier Robert fait l'acquisition de l'érablière de son père Charles-Aimé. Tout en s'inscrivant dans la tradition, il développe des produits nouveaux, typiquement québécois. Par exemple, le Charles-Aimé Robert, qui s'apparente au porto tawny, et le Val Ambré, au pineau des Charentes. L'Acer Café, petit bistro sur les lieux, offre une assiette élaborée à partir de produits régionaux. L'érable s'immisce bien sûr dans ces savoureuses recettes.

Domaine Acer
Auclair
Région: Gaspésie
418 899-2825
www.domaineacer.com

LE RIOPELLE DE L'ISLE

de la coopérative des producteurs de l'Île-aux-Grus

La fromagerie est exploitée depuis 20 ans par les 10 producteurs laitiers de l'île et le lait transformé provient d'animaux alimentés en partie avec le foin naturel des battures. Le Riopelle de l'Isle, un triple-crème qui rend hommage à l'un des plus prestigieux habitants de l'île, Jean-Paul Riopelle, est le plus beau fleuron de la fromagerie.

Fromagerie de l'Île-aux-Grues
Île-aux-Grues
Région: Bas-Saint-Laurent
418 248-5842
www.fromagesileauxgrues.com

LE MIEL
de John Forest

John Forest exploite son entreprise apicole, le Rucher des framboisiers, depuis 1977 et il met en marché 11 variétés de miel ainsi que 4 hydromels sous l'appellation biologique Québec Vrai. Fleurs de bleuets, centaurée, framboisiers, fleurs sauvages... s'imprègnent du terroir gaspésien. Avec sa femme, Panyong, il a fondé le Petit Jardin de l'abeille, dont la vocation est de faire connaître les immenses possibilités de la culture de plantes vivaces dans la région, d'offrir un site de démonstration de leurs qualités esthétiques particulières et de distinguer les espèces mellifères qui favorisent les insectes butineurs.

Le Rucher des framboisiers/
Le Petit Jardin de l'abeille
Maria
Région: Gaspésie
418 759-3027
www.jardindelabeille.com

LES CITRONS CONFITS
de Nora Hamdi

Dans le petit resto qu'elle ouvre il y a quelques années au rez-de-chaussée de sa maison, Nora Hamdi propose une table d'hôte qui s'inspire des recettes que lui a transmis sa grand-mère kabyle. Passionnée de cuisine, elle fait des recherches approfondies sur les cuisines du Maghreb. Pour parfumer et rehausser ses spécialités, la femme d'affaires cuisinière prépare ses propres épices et condiments. La demande n'allait pas tarder à venir.

La Maison Berbère
Dunham
Région: Estrie
450 295-1461
www.maisonberbere.com

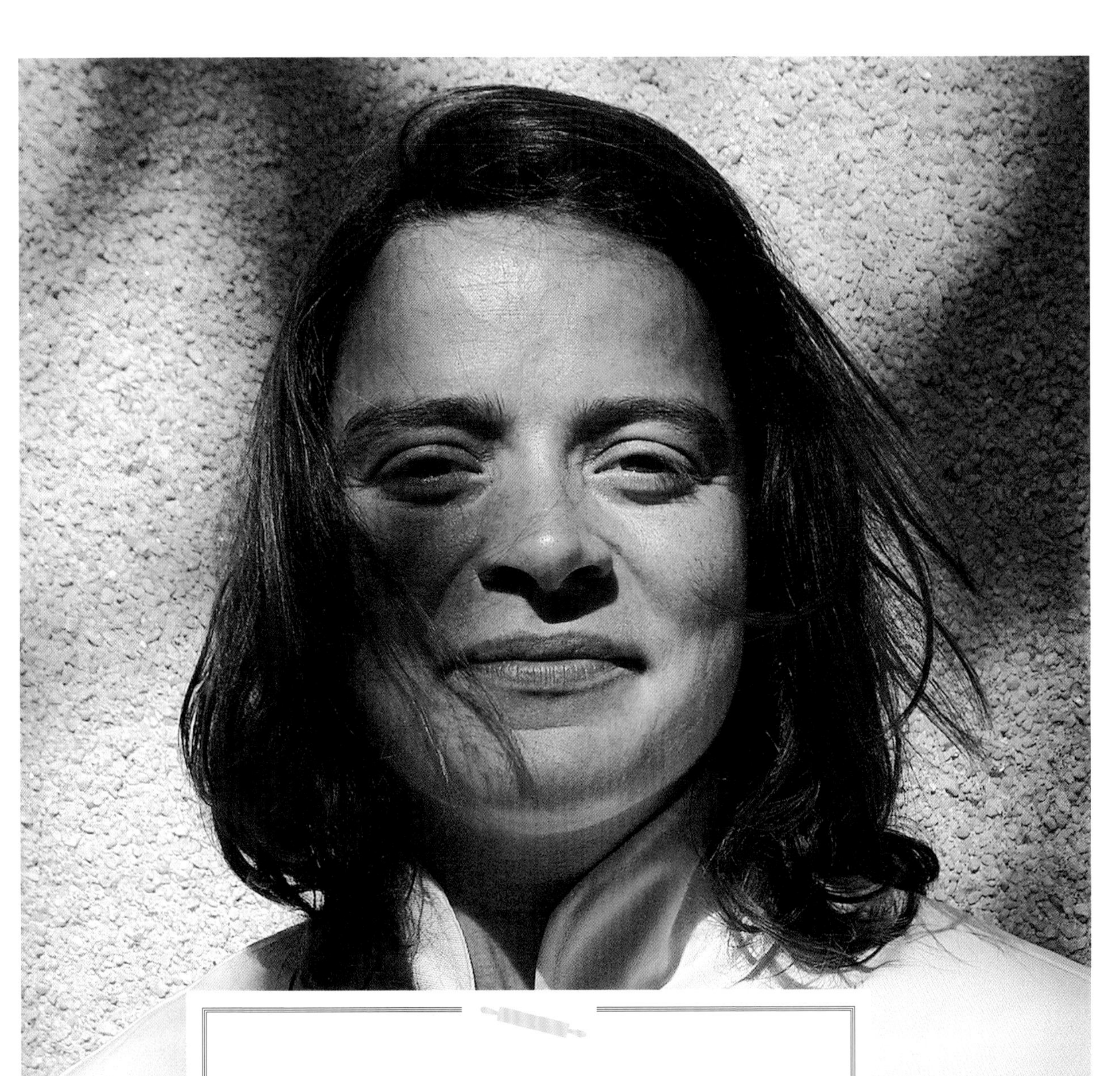

COLOMBE
SAINT-PIERRE

La chef propriétaire du restaurant Chez Saint-Pierre, au cœur du Bic, a l'étoffe et la vitalité des gens du pays. Misant sur le potentiel du terroir québécois et sur l'exploitation de ses ressources alimentaires, celle qui se définit avant tout comme «cuisinière», élabore des plats empreints de tradition ancestrale et contribue ainsi à l'avancement d'une gastronomie nationale.

Photo: Michel Dompierre

« J'ai ramené des trésors gastronomiques des quatre coins du monde, mais ma cuisine est avant tout québécoise... »

C'est sur l'île Bicquette, au cœur de l'estuaire du Saint-Laurent, que Colombe Saint-Pierre a passé son enfance. Son père y est gardien du phare érigé en 1844. Sa mère et ses deux frères élèvent cochons et poules. Les produits du potager garnissent le caveau à légumes. Colombe se rappelle avec plaisir les plats simples et odorants – pain de viande, bœuf aux légumes, croustade aux pommes – préparés par sa mère et par sa grand-mère.

Pendant ses études au cégep du Vieux-Montréal, Colombe fait la plonge à La Marivaude, où elle s'initie, entre autres, à l'art de préparer les abats. Elle décide alors de poursuivre son apprentissage. Entre autres, au bar à vin Le Pinot Noir, où elle fait la connaissance du chef Jean-Pierre Beaulieu qui lui insuffle véritablement la passion du métier. Beaulieu revient d'une tournée mondiale qui aura duré vingt-cinq ans. Sa connaissance des herbes et des épices des pays qu'il a visités fascine Colombe Saint-Pierre. Elle veut tout apprendre de ce créateur qui ne fait jamais deux fois le même plat. Elle qui n'a jamais été encline à suivre le troupeau, endosse la philosophie de ce maître de la cuisine.

Elle part quand même explorer la planète. On la retrouve, entre autres, à l'Exposition universelle de Hanovre en Allemagne, puis à Melbourne en Australie où elle travaille pendant une année au South Gate Nocca, un populaire restaurant de cuisine méditerranéenne. En Asie, elle découvre les cuisines du Laos, du Vietnam et de la Thaïlande. En Amérique du Sud, elle parcourt le Chili, la Bolivie et le Pérou, et troque les frais de sa pension contre d'un coup de main à ses hôtes, qui l'initieront à leurs trésors gastronomiques. Bien décidée à tout connaître et à tout apprendre, Colombe goûte à tout, fait tout, «même gratter le corail des moules en Italie».

Elle a désormais une certitude: son avenir est dans la cuisine. Mais la globetrotteuse est avant tout québécoise et c'est au Québec qu'elle fera carrière. En avril 2009, Colombe Saint-Pierre ouvre son restaurant. Son mari, Alexandre Vincenot, y fait office à la fois de maître d'hôtel et de sommelier.

Chez Saint-Pierre se niche sur une colline au cœur du Bic, face à Sainte-Cécile, l'église plus que centenaire dont le clocher souligne la beauté architecturale de notre art religieux. Le site du Bic domine le fleuve. Ses îlots, ses anses, ses buttes sont les attraits de ce pays voisin de la péninsule gaspésienne. Les randonneurs apprécient sa flore et ses paysages, qui se métamorphosent au gré des marées et de la lumière du jour.

Colombe Saint-Pierre tient à rendre hommage à ceux qui l'ont aidée à devenir ce qu'elle est: entre autres, le célèbre chef Normand Laprise, qui lui a donné une perspective de ce que le terroir a de meilleur à offrir, Jean-Paul Grappe de l'Institut de tourisme et d'hôtellerie du Québec, qui l'a poussée à participer à un concours à Paris, à la regrettée journaliste gastronomique de *La Presse*, Françoise Kayler, qui a fait l'éloge de son talent.

La patronne du restaurant Chez Saint-Pierre fait une cuisine qui est à l'image du pays qui l'habite et qui regorge de tous les produits susceptibles d'alimenter une table gastronomique: agneau, bœuf de battures salées, fromages, maraîchers bio, poissons, fruits de mer. Classée troisième en 1999 au Concours international de risotto à Melbourne, quatrième au Concours international de l'Académie culinaire de France à Paris en 2002, la jeune chef remporte en 2005 le Prix Renaud-Cyr dans la catégorie Chef en établissement.

Sa cuisine privilégie les producteurs et artisans régionaux. La charcuterie La Bicquoise et la boulangerie artisanale Folles Farines, par exemple.

«Notre gastronomie va très bien. Ce qui ne va pas, c'est la reconnaissance de ses possibilités. Il va falloir des consultations populaires, des états généraux sur la bioproduction alimentaire, où les petits producteurs auront plus de droit de parole qu'un élu urbain n'ayant jamais mis les pieds dans de la bouse de vache! Il faudra aussi légiférer... Il n'y a pas plus de risque de mourir en mangeant un fromage au lait cru que de mourir en allant siéger à l'Assemblée nationale!»

CHEZ SAINT-PIERRE

129, rue Mont Saint-Louis
Le Bic
418 736-5051
www.chezstpierre.ca

PÉTONCLES DES ÎLES-DE-LA-MADELEINE AU JUS DE LIVÈCHE ET À L'HUILE D'OLIVE

Pour 4 personnes

Préparation: 20 min
Temps de repos: 15 min

Ingrédients

8 beaux gros pétoncles
Zeste et jus de 2 limes
250 ml (1 tasse) de livèche blanchie et hachée (ou de feuilles de céleri ou de persil)
1 petite gousse d'ail hachée
1 concombre, épépiné et coupé grossièrement
5 ml (1 c. à thé) de moutarde de Dijon
125 ml (½ tasse) de lait
2 jaunes d'œufs
100 ml (⅓ tasse) d'huile d'olive
Sel et poivre

- Blanchir la livèche en la plongeant dans de l'eau bouillante environ 30 secondes. Égoutter puis déposer dans de l'eau glacée afin qu'elle conserve sa couleur; essorer et hacher finement. Réserver.
- Prélever le zeste de lime et réserver. Presser le jus et y faire mariner les pétoncles avec un peu de sel environ 15 minutes.
- Au mélangeur, mettre l'ail, la livèche hachée, le concombre épépiné et haché grossièrement, la moutarde, le lait, l'huile d'olive, les 2 jaunes d'œufs et le zeste de lime. Mélanger à grande vitesse jusqu'à l'obtention d'un liquide lisse.
- Passer au tamis, saler et poivrer au goût.
- Servir dans un bol creux le jus de livèche avec les pétoncles marinés, accompagner d'une salade de roquette ou, mieux, de petite oseille (surette).

JARRET D'AGNEAU BRAISÉ À LA ST-AMBROISE NOIRE, GENIÈVRE ET SERPOLET

Pour 4 personnes

Préparation : 30 min
Cuisson : 2 h environ

Ingrédients

4 jarrets d'agneau du Québec
Huile végétale
60 ml (4 c. à soupe) de vinaigre balsamique
2 oignons hachés
1 tête d'ail
1 bouteille de bière St-Ambroise noire
4-5 branches de serpolet (ou thym)
6 baies de genièvre
5 ml (1 c. à thé) de poivre noir en grains

- Préchauffer le four à 170 °C (325 °F).
- Dans une grande poêle, faire revenir à feu vif avec un peu d'huile végétale les jarrets préalablement salés et poivrés jusqu'à l'obtention d'une belle coloration.
- Déglacer avec le vinaigre balsamique. Laisser réduire le vinaigre presque complètement.
- Ajouter les oignons hachés grossièrement, les gousses d'ail entières, la bouteille de St-Ambroise, le serpolet (ou thym), les baies de genièvre, les grains de poivre. Couvrir la viande d'eau.
- Couvrir avec du papier d'aluminium et laisser braiser au four pendant 2 heures environ ou jusqu'à ce que la chair se détache de l'os.
- Passer la sauce au tamis et faire réduire sur le feu si elle semble trop liquide.
- Servir avec une purée de pommes de terre au cheddar vieux.

TARTE À LA RHUBARBE, FRAISES ET PÉTALES DE ROSES SAUVAGES

Pour 4 personnes

Préparation: 40 min
Cuisson: 12 min

Ingrédients

1 abaisse de pâte
250 ml (1 tasse) de rhubarbe tranchée
125 ml (½ tasse) de fraises de l'Île d'Orléans (ou du Québec)
60 ml (¼ tasse) de pétales de roses sauvages
125 ml (½ tasse) de sucre
250 ml (1 tasse) de crème à fouetter
30 ml (2 c. à soupe) de sucre à glacer

- Préchauffer le four à 180 °C (350 °F). Graisser et fariner des moules à muffins.
- Abaisser la pâte à tarte. Disposer la pâte dans les moules, piquer le fond à l'aide d'une fourchette et cuire au four de 10 à 12 minutes ou jusqu'à ce qu'elle soit cuite et dorée. Laisser refroidir.
- Dans une casserole à fond épais, mettre la rhubarbe, les fraises, le sucre et les pétales de roses. Cuire à feu doux jusqu'à obtenir la texture d'une confiture. Réfrigérer.
- Fouetter la crème avec le sucre à glacer jusqu'à l'obtention d'une chantilly souple.
- Dans chaque abaisse refroidie, déposer de la confiture de rhubarbe, fraises et roses, napper de chantilly et servir.

LA COPPATIÈRE
de Nathalie Joannette et Samuel Audet

Les fondateurs de Fou du cochon et Scie, Nathalie Joannette et Samuel Audet, fabriquent des cochonnailles biologiques haut de gamme. Leurs produits ne contiennent ni OGM, ni nitrite, ni rehausseur de goût, ni produits de remplissage et ils sont certifiés Québec Vrai. Fou du cochon et Scie se positionne sur le marché québécois comme étant une entreprise socialement responsable, et utilise des matières premières provenant principalement du Bas-Saint-Laurent. Une façon d'encourager l'économie locale. La Coppatière, de leur gamme Grelots Bâtons, c'est de l'échine de porc séchée qui n'est ni lavée au vin ni fumée, mais seulement enrobée de poivre.

Fou du cochon et Scie
La Pocatière
Région : Bas-Saint-Laurent
418 856-3309
www.fouducochon.com

LA TOMME DE KAMOURASKA
de Rachel White et Pascal-André Bisson

Les fondateurs de la bergerie et fromagerie Le Mouton Blanc élaborent des fromages au lait cru de brebis. La Tomme de Kamouraska s'inspire du fromage basque Ossau-Iraty. Ici, il s'imprègne des saveurs du terroir du Bas-du-Fleuve. C'est un fromage au lait de brebis à pâte ferme, dite pressée non cuite parce que le caillé n'est pas chauffé. Sa croûte se forme naturellement durant l'affinage en cave qui dure de trois à quatre mois. Rachel, qui est diplômée de l'École d'agriculture de La Pocatière, veille au bien-être de ses brebis. Le foin de la région donne toute sa richesse au lait, contribuant ainsi au goût des fromages que Pascal-André façonne avec amour dans sa fromagerie.

Fromagerie Le Mouton Blanc
La Pocatière
Région : Bas-Saint-Laurent
418 856-6627

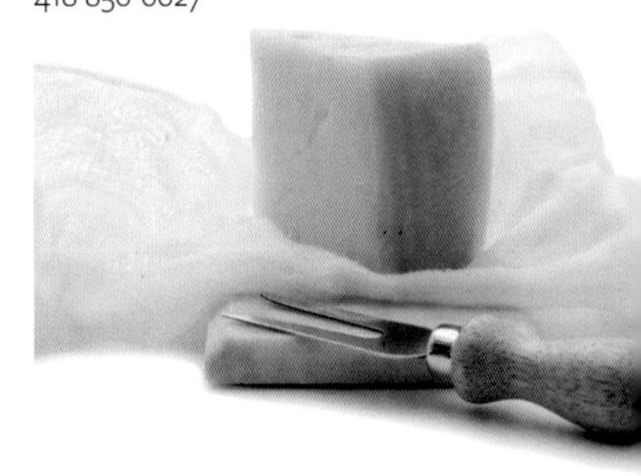

LE CIDRE DE GLACE CLOS SARAGNAT
de Louise Dupuis et Christian Barthomeuf

C'est à Frelighsburg, sur l'emplacement d'un des plus vieux vergers du Québec que s'étend le domaine Clos Saragnat. Sur les flancs ensoleillés du mont Pinacle, véritable sentinelle de la chaîne des Appalaches, le site profite d'un emplacement privilégié. Christian Barthomeuf est l'un des pionniers de la viticulture au Québec. C'est lui qui planta le premier vignoble de Dunham en 1979 et qui créa le cidre de glace en 1989. Lauréat de nombreux prix, récipiendaire de nombreuses médailles d'or, il a en outre conçu le vignoble Chapelle Sainte-Agnès et a contribué au succès international de La Face Cachée de la Pomme et du Domaine Pinnacle. Christian élabore aussi les vins et cidres Clos Saragnat. Louise, qui a travaillé à la mise au point du réputé vignoble Chapelle Sainte-Agnès durant trois ans, apporte tout son savoir faire à la culture des vignes et aux soins des arbres fruitiers du domaine Clos Saragnat. Ils sont membres de l'Union Paysane.

Clos Saragnat
Frelighsburg
Région: Estrie
450 298-1444
www.saragnat.com

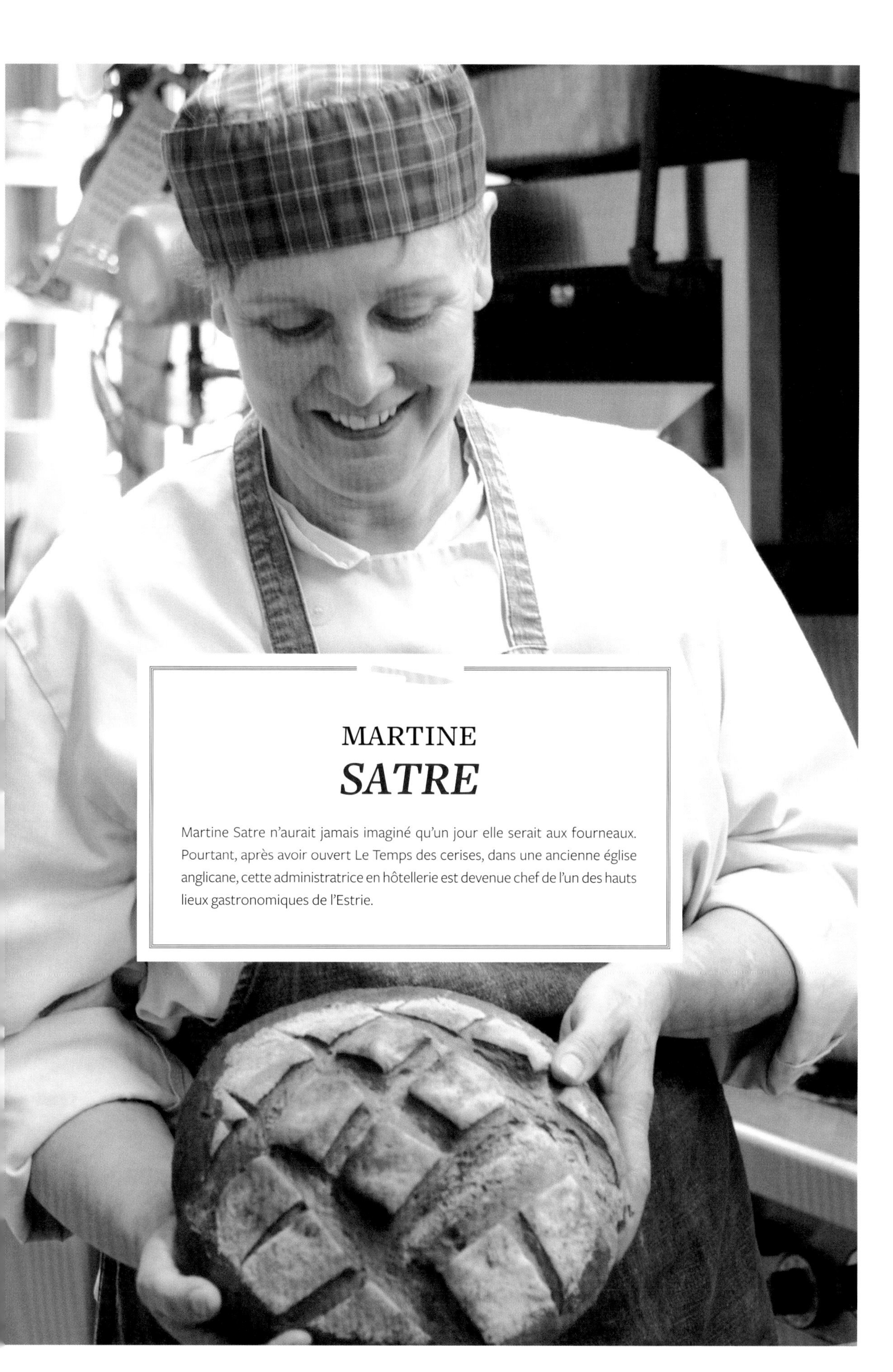

MARTINE *SATRE*

Martine Satre n'aurait jamais imaginé qu'un jour elle serait aux fourneaux. Pourtant, après avoir ouvert Le Temps des cerises, dans une ancienne église anglicane, cette administratrice en hôtellerie est devenue chef de l'un des hauts lieux gastronomiques de l'Estrie.

« Je fais de la gastronomie rurale : simple dans sa présentation et dans sa description, décontractée… et avec des bons produits ! »

Martine Princen est née dans les Flandres belges, une région riche en vergers, en potagers et en animaux de boucherie. Elle se souvient de la cuisine simple et savoureuse de sa mère. Et des menus des fêtes de la famille depuis des générations, que lui fait découvrir sa grand-mère: huîtres royales, grand parfait de foie gras, marquises au champagne, buisson de homards Bellevue…

Martine commence par suivre une formation en technique de la restauration à l'École hôtelière provinciale de Namur. Puis, en administration à l'École hôtelière de Lausanne, en Suisse. C'est là qu'elle fait la connaissance du mi-Savoyard, mi-Breton Patrick Satre, qui deviendra son mari. À cette époque, profitant de la réputation dont jouit Montréal à la suite du succès de l'Expo 67 et des Jeux olympiques, le gouvernement invite les francophones d'Europe et du Maghreb à s'installer au Québec. Les Satre vont répondre à l'appel.

À son arrivée, elle travaille comme serveuse et responsable de la salle à manger au restaurant Le Foyer, à Montréal, donne des cours de formation en cuisine à Repentigny et enseigne l'hôtellerie au collège LaSalle. Patrick, lui, travaille au Méridien. Ils décident alors de s'installer en Estrie. Quand, à la fin de l'été 1987, les Satre ouvrent Le Temps des Cerises dans l'ancien temple St-Andrew, à Danville, la population voit renaître avec plaisir ce bel héritage architectural. Encouragée par son mari, l'administratrice en hôtellerie devient la chef de cette aventure familiale, portée par le couple et leurs trois filles, Frédérique, Alexandra et Gaëlle. «Je fais bien plus que la cuisine, je m'occupe des fleurs, du jardin, et tout plein de choses. Je crois que les femmes qui cuisinent en milieu rural font comme moi.»

Curieuse de tout ce qui l'entoure, Martine Satre met en valeur les produits des éleveurs d'agneaux, des maîtres fromagers, des maraîchers et des acériculteurs des Bois-Francs.

Les menus du Temps des Cerises ont de quoi faire saliver. Rillettes d'anguille du lac Saint-Pierre, pastilla de pintade avec son chutney de canneberges, raviolis au blé d'Inde fumé sur coulis de piment doux au safran, magret de canard au grué de cacao (pâte extraite du fruit du cacaoyer), filet de doré de Notre-Dame-de-Pierreville aux pommes et cidre de glace, longe de porc rôtie aux agrumes et romarin, steak de cerf rouge à la liégeoise, duo de boudins aux deux pommes, casserole marinière de moules à la belge… «Quand on fait un plat hors des sentiers battus, il faut le rendre rassurant par le nom qu'on lui donne ou les accompagnements qui l'entourent. Il faut toujours un élément aventurier et un élément rassurant.»

Le Temps des Cerises a à peine cinq ans d'existence quand, en 1992, il rafle les plus hauts prix du tourisme. Cette année-là, une jolie terrasse y est aménagée et, en 2001, le restaurant se voit de nouveau remettre le Grand prix du Tourisme.

En 2007, la maison, qui célèbre sa vingtième année d'existence, s'offre une cure de rajeunissement et des rénovations majeures sont entreprises. Martine et Patrick Satre font appel à de talentueux artisans de la région. France Jutras et Jocelyn Bathalon, des Jardins de Lumière, créent un nouvel éclairage à diode pour adapter l'ambiance à chaque événement. Le ferronnier d'art Patrick Poisson conçoit une structure néo-gothique haute de trois mètres destinée à rendre hommage au cachet architectural de Danville et dont le résultat est absolument spectaculaire.

Depuis 2003, Le Temps des Cerises organise des ateliers culinaires. Les condiments et confitures de Martine Satre, dont la production ne cesse de prendre de l'ampleur, se retrouvent sur les tablettes des fins marchés d'alimentation du Québec.

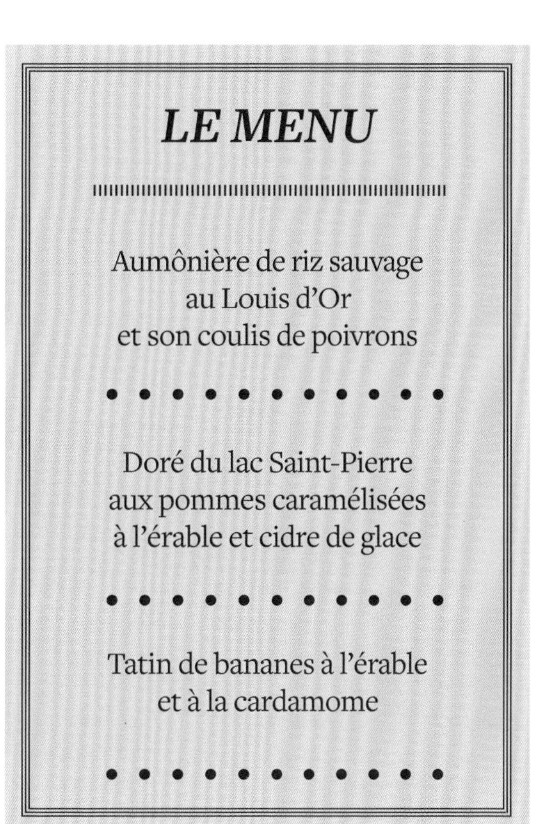

LE TEMPS DES CERISES

79, rue du Carmel
Danville
1 800 839-2818 ou 819 839-2818
www.cerises.com

AUMÔNIÈRE DE RIZ SAUVAGE AU LOUIS D'OR ET SON COULIS DE POIVRONS

Pour 4 personnes

Préparation: 15 min
Cuisson: 12 min + 10 min + 1h30

Ingrédients

125 ml (½ tasse) de riz sauvage
50 ml (3 c. à soupe) de beurre
375 ml (1 ½ tasses) d'eau
Pâte phyllo
250 ml (1 tasse) de fromage Louis d'or coupé en cubes de 1 cm

Sauce
½ oignon, haché finement
100 ml (⅓ tasse) de bouillon de volaille
1 poivron rouge, coupé en petits dés
50 ml (2 ½ c. à soupe) d'huile d'olive
Paprika ou piment d'Espelette (facultatif)

- Faire chauffer le riz avec 20 ml de beurre pendant 1 minute. Mouiller avec l'eau, couvrir et laisser cuire à feu doux jusqu'à ce que les grains s'ouvrent et que le liquide soit absorbé. Assaisonner à la fin de la cuisson (environ 1 h 30). Laisser refroidir.
- Préchauffer le four à 190 °C (375 °F).
- Pour monter les aumônières, renforcer le fond d'une demi-feuille de phyllo enduite de beurre fondu avec un quart de feuille à laquelle on aura imposé un quart de tour, beurrée également.
- Disposer le riz en premier, ensuite le fromage en cubes. Rabattre les côtés étroits en premier, puis les rabats plus longs qui seront pincés afin de donner la forme d'aumônière.
- Cuire au four pendant 12 minutes. Cette étape peut être préparée jusqu'à 48 heures à l'avance.
- Pour faire la sauce, faire suer l'oignon et le poivron, mouiller avec le bouillon et laisser mijoter 10 minutes à feu doux. Passer au mélangeur et ajouter peu à peu l'huile d'olive pour faire une émulsion.
- On peut relever la préparation avec du paprika ou du piment d'Espelette.

DORÉ DU LAC SAINT-PIERRE AUX POMMES CARAMÉLISÉES À L'ÉRABLE ET AU CIDRE DE GLACE

Pour 4 personnes

Préparation: 10 min
Cuisson: 10 min + 5 min

Ingrédients

750 g (1 ½ lb) de filets de doré
15 ml (1 c. à soupe) de beurre
30 ml (2 c. à soupe) de sirop d'érable
2 pommes (Cortland ou à cuisson) coupées en fins quartiers
25 ml (1 ½ c. à soupe) de vinaigre d'érable ou de cidre
50 ml (3 ½ c. à soupe) de cidre de glace
250 ml (1 tasse) de jus de palourde (du poissonnier)
50 ml (3 ½ c. à soupe) de crème 35%
Sel de mer et poivre

- Faire doucement cuire le doré à la vapeur.
- Chauffer une poêle à fond épais, y déposer le beurre et le sirop d'érable. Caraméliser de fines tranches de pommes non épluchées; les retirer et les réserver.
- Déglacer avec le vinaigre d'érable, ajouter le cidre de glace et faire réduire de moitié.
- Ajouter le jus de palourde et faire mijoter de 1 à 2 minutes. Lier légèrement en ajoutant la crème.
- Dresser le doré sur un socle de riz basmati, napper de sauce et disposer les tranches de pommes. Accompagner de légumes verts.

TATIN DE BANANES À L'ÉRABLE ET À LA CARDAMOME

Pour une tarte de 25 cm (10 po)
(6 portions)

Préparation: 10 min
Cuisson: 20 min

Ingrédients

5 à 6 bananes, fendues en deux sur la longueur
125 ml (½ tasse) de sirop d'érable
2 gousses de cardamome
1 disque de pâte feuilletée de 30 cm (12 po)

- Préchauffer le four à 200°C (400°F).
- Écraser les graines de cardamome prélevées dans les gousses.
- Dans une poêle de 25 cm (10 po) à fond épais pouvant aller au four, faire réduire le sirop de moitié avec la cardamome. Ajouter les bananes, côté plat en premier; retourner après coloration. Laisser refroidir.
- Recouvrir de pâte feuilletée en rentrant les bords de pâte le long des parois intérieures de la poêle. Cuire au four 20 minutes environ.
- Retourner juste avant de servir sur un plat ou une belle planche de service.

LE LOUIS D'OR
de Jean Morin

L'ancien presbytère de Sainte-Élizabeth abrite depuis octobre 2006 la fromagerie de la ferme Louis d'Or, une entreprise dirigée par la famille Morin depuis quatre générations. La Ferme est certifiée biologique depuis 1990. Les deux premiers fromages à avoir été produits pas la Fromagerie du Presbytère sont le Champayeur et le Bleu d'Élizabeth. Jean Morin a, depuis, ajouté d'autres fleurons à sa production, dont le Louis d'Or, un fromage de type comté ou gruyère fabriqué avec le lait cru biologique du troupeau. Ce fromage fermier est affiné pendant 9, 16 ou 24 mois.

La fromagerie du Presbytère
Sainte-Élizabeth-de-Warwick
Région: Arthabaska (Centre-du-Québec)
819 358-6555
www.fromageriedupresbytere.com

L'AGNEAU
de Robert Laberge

Depuis l'ouverture de son restaurant, Martine Satre a toujours encouragé les producteurs locaux, dont Robert Laberge, de la ferme Manasan. Dans un décor bucolique, l'entreprise fait l'élevage de chevaux arabes, mais également de bovins (Angus noirs) et d'ovins de boucherie. Les agneaux sont engraissés pendant une courte période et abattus jeunes, ce qui influence la tendreté de la viande.

Ferme Manasan
Danville
Région: Estrie
819 839 3350
www.manasan.qc.ca

L'ESTURGEON JAUNE ET LES ÉCREVISSES DU LAC SAINT-PIERRE
de Richard Desmarais

Depuis cinq générations, les Desmarais pêchent sur le lac Saint-Pierre. À la poissonnerie familiale, on peut acheter du poisson fraîchement pêché ou fumé sur place. Entre autres, anguille, doré, perchaude, esturgeon jaune, grand corégone, lotte, meunier et écrevisses. Le lac Saint-Pierre, qui s'insère dans le parcours du Saint-Laurent, est un lieu propice et reconnu pour les récoltes printanières et automnales de ce crustacé.

Poissonnerie Gaétan Desmarais et Fils
Notre-Dame-de-Pierreville
Région: Nicolet-Yamaska
(Centre-du-Québec)
450 568-6612

LE ROSÉ DEMI-SEC CHARMES ET DÉLICES
de Jacques Papillon

C'est Christian Barthomeuf qui a planté les premiers ceps du vignoble, en 1980. Quelques années plus tard, le Domaine des Côtes d'Ardoise gagnait la première médaille accordée à un vignoble québécois. Le docteur Jacques Papillon, épicurien, amant des arts, de bonne chère et de bon vin, a mis temps et énergie pour développer le Domaine des Côtes d'Ardoise, pour le faire grandir en quantité et en qualité. Vins blancs ou rouges, vins de glace, vendanges tardives, vins fortifiés et rosé sont élaborés à partir des 25 000 plants de vignes cultivés sur le domaine. Réalisé à partir de raisins rouges, le rosé Charmes et Délices possède des arômes typiques de fruits rouges associés à une belle fraîcheur souvent caractéristique des vins blancs. Le Domaine des Côtes d'Ardoise accueille chaque année l'exposition de sculptures Nature et Création qui regroupe 35 œuvres de 15 artistes.

Domaine des Côtes d'Ardoise
Dunham
Région: Estrie
450 295-2020
www.cotesdardoise.com

DIANE
TREMBLAY

Diane Tremblay n'a pas un parcours classique. D'observations en découvertes, de passions en inspirations, elle s'est forgé une philosophie culinaire toute personnelle, basée sur les cinq sens. La renommée de cette chef et traiteur saguenéenne et de son restaurant, fleuron de la fine cuisine du terroir québécois, n'est plus à faire, au Québec comme à l'étranger.

« Le plus important en cuisine, c'est de savoir pourquoi on fait les choses, de ne rien faire par automatisme. La cuisine, ça se pense! »

Au moment de choisir sa carrière, en 1981, Diane Tremblay sait qu'une fille de magistrat se doit de fréquenter l'université. Elle qui dévore livres de recettes et revues gastronomiques n'ose avouer sa passion à son père et opte pour un bac en physique. Un jour, elle entend le chef Serge Bruyère parler de ses créations avec des clients, et elle sent la flamme se raviver: c'est vraiment cette cuisine inventive qui l'intéresse. De retour au Saguenay avec son diplôme, elle déclare à son père: «Papa, voilà ton papier!» Et elle lui annonce tout de go son intention de s'inscrire à l'Institut de tourisme et d'hôtellerie du Québec… où elle n'est pas admise.

Qu'à cela ne tienne, elle se formera sur le terrain! Elle contacte alors Benoît Lechasseur, le chef propriétaire du petit restaurant Le Chasseur, à Jonquière: «Salut, je suis Diane Tremblay, tu me connais pas mais j'capote sur la cuisine. Voudrais-tu m'apprendre?» Le courant passe tout de suite et ils deviennent de vrais complices. C'est ainsi qu'elle découvre les techniques de base d'une cuisine raffinée.

Elle passe ensuite aux cuisines de l'Hôtel Chicoutimi. Elle s'y connaît si peu encore dans le fonctionnement d'une cuisine qu'elle ne sait même pas se servir du tranchoir à viande. Résultat: elle se coupe si sérieusement qu'elle se retrouve à l'hôpital. Lorsqu'elle revient, 15 jours plus tard, le chef lui lance, en guise de bienvenue: «Je n'ai plus besoin de toi!» Tant pis. Diane poursuit sa route et aboutit au bistro La Tour, rue Racine.

Mais le carrousel continue de tourner. La gérante du restaurant Le Troquet cherche un deuxième cuisinier. «Moi, j'engagerais Diane Tremblay», lui recommande une copine. Aussitôt dit, aussitôt fait. Elle n'y restera cependant que quelques mois, car, en janvier 1985, elle retourne travailler avec le chef Lechasseur, mais cette fois en tant qu'associée. On est alors en plein dans la vague d'une cuisine nouvelle, évolutive, créatrice, basée sur les produits du marché. Diane Tremblay lit beaucoup pour se mettre au diapason de ce qui se passe dans le monde gastronomique. La même année, en août, elle rachète les parts de son partenaire et se retrouve seule à la barre du Chasseur. L'établissement est trop petit pour qu'elle puisse se permettre d'avoir des employés. Alors, en plus de faire la cuisine, Diane fait le service et tient la caisse. Elle est si épuisée qu'il lui arrive de s'assoupir, appuyée contre la cheminée, jusqu'à ce qu'un client la réveille pour régler son addition!

Elle décide alors de se faire remplacer au restaurant pour quelque temps et d'entreprendre un «voyage d'études» en France. Elle se présente spontanément chez des chefs réputés, comme Gagnaire, Troisgros, Guérard ou Maximin, en disant: «J'ai un petit restaurant au Québec. Est-ce que je peux voir votre cuisine?» Non seulement l'invitent-ils, mais ils lui permettent même de faire chez eux de courts stages. «Je lisais, je goûtais, j'observais. J'ai beaucoup appris grâce à ma curiosité.»

À son retour à Chicoutimi, avec une associée qui a une vision éclairée des affaires, elle déménage Le Chasseur dans un édifice neuf, même si ce n'est pas pour elle l'endroit rêvé. Dix ans plus tard, quand arrive la récession de 1992, elle en profite pour s'accorder un moment de répit.

L'année suivante, elle ouvre Le Privilège, situé dans un milieu mi-urbain, mi-champêtre où son plus proche voisin est un producteur maraîcher. La maison est coquette et tout autour poussent des herbes aromatiques. Les plats de Diane Tremblay s'imprègnent de saveurs régionales. Les élans culinaires de la chef propriétaire sont aussi intuitifs que réfléchis, variant avec les saisons: soupe glacée de concombre à la menthe fraîche, crêpes de canard sauce au miel et à l'ail, caille rôtie aux cerises et aux pousses de cèdres, grillade de thon au sésame, club-sandwich de ris de veau au foie gras de canard, pavé de saumon farci au flétan sauce aux huîtres à la Veuve Clicquot, tournedos de cerf en salsa de mangue, duo de veau au prosciutto et au basilic, tarte au caramel et aux pommes, gâteau à la glace de noix et café...

Diane Tremblay ne s'arrête jamais. Elle vient d'ajouter un atelier culinaire à son restaurant. On peut y acheter des plats cuisinés par elle ou par d'autres cordons-bleus, ainsi qu'un éventail d'articles pour la table ou la cuisine réalisés par des artisans québécois. La carte de membre donne droit à la livraison d'un repas fin une fois par semaine et permet de participer aux ateliers thématiques. Les membres reçoivent une fiche d'évaluation où ils sont invités à noter goûts et textures, ce qui aide la chef à sélectionner les plats qu'elle mettra en marché.

Diane Tremblay a reçu de nombreux prix et honneurs, dont la Médaille d'argent de l'ordre du mérite de la restauration en 1988, le Grand Prix du tourisme québécois de 1991 à 1993 et de 2001 à 2003, la Coupe des Nations en 2001 et en 2002. Elle a été élue Chef de l'année par la Société des chefs cuisiniers et cuisinières du Québec en 2001 et a mérité le prestigieux prix World Cookbook Award pour son livre *Un Privilège à votre table*.

LE MENU

Tartare de «Veau Charlevoix»
au vinaigre de bleuets,
émincé de betterave
et chou-rave

• • • • • • • • • • •

Cuissots de lapin farcis au pesto
d'herbes à la canneberge séchée,
lait de panais et fenouil

• • • • • • • • • • •

Rencontre gourmande
du chocolat noir de Tanzanie
et des bleuets du Lac-Saint-Jean,
mousseline à l'orange et biscuit
moelleux à l'huile d'olive

• • • • • • • • • • •

LE PRIVILÈGE

1623, boul. Saint-Jean-Baptiste
Chicoutimi
Téléphone: 418 698-6262
www.leprivilege.ca

TARTARE DE «VEAU CHARLEVOIX» AU VINAIGRE DE BLEUETS, ÉMINCÉ DE BETTERAVE ET CHOU-RAVE

Pour 4 personnes

Préparation: 2 heures

Ingrédients

Salade de betterave et de chou-rave
2 petites betteraves, pelées et tranchées en fines julienne
2 petits choux-raves, pelés et tranchés en fine julienne
1 échalote, pelée et hachée finement
45 ml (3 c. à soupe) d'huile d'olive
1 gousse d'ail, hachée
4 à 5 branches de thym frais
80 ml (⅓ tasse) de pois verts cuits (frais si possible)
Sel de mer et poivre

Vinaigrette aux pois verts et au vinaigre de bleuets
125 ml (½ tasse) de pois verts cuits (frais si possible)
15 ml (1 c. à soupe) de jus de citron
15 ml (1 c. à soupe) de vinaigre de bleuets ou de framboises
15 ml (1 c. à soupe) de sirop d'érable
1 jaune d'œuf
1 petite poignée de cerfeuil frais, haché
Sel de mer et poivre
125 ml (½ tasse) d'huile d'olive

Tartare de veau
250 g (¼ lb) de filet de «Veau Charlevoix»*
15 ml (1 c. à soupe) de vinaigre de bleuets ou de framboises
30 ml (2 c. à soupe) d'huile d'olive
Sel de mer et poivre
Ciboulette haché, au goût
Estragon frais, haché, au goût
Feuilles de roquette

- Mettre la julienne de betterave dans une passoire, saupoudrer de sel de mer et laisser dégorger pendant 30 minutes. Bien rincer à l'eau froide; égoutter. Répéter l'opération avec les choux-raves.
- Dans un bol, mélanger les juliennes de betteraves et de chou-rave, ajouter les autres ingrédients et laisser mariner 1 heure.
- Pour la vinaigrette, mettre tous les ingrédients, sauf l'huile d'olive, dans un mélangeur; réduire en purée et ajouter l'huile d'olive graduellement en un mince filet, comme pour une mayonnaise.
- Parer et découper finement le filet de veau, laisser mariner 30 minutes avec les autres ingrédients.
- Dresser le tartare sur des feuilles de roquette et surmonter de salade de betterave et de chou-rave; finir avec un peu de vinaigrette aux pois verts.

* Le «Veau Charlevoix» est vendu à Québec à la boutique Place de la cité et, à Montréal, à la boutique Les Saveurs Charlevoix du Marché Jean-Talon.

CUISSOTS DE LAPIN FARCIS AU PESTO D'HERBES AUX CANNEBERGES SÉCHÉES, LAIT DE PANAIS ET FENOUIL

Pour 4 personnes

Préparation: 60 min
Cuisson: 45 min + 20 min

Ingrédients

Pesto d'herbes aux canneberges séchées
60 ml (¼ tasse) de canneberges séchées
1 botte de persil italien, haché grossièrement
1 botte de basilic frais, haché grossièrement
1 botte d'estragon frais, haché grossièrement
1 gousse d'ail, hachée
125 ml (½ tasse) d'huile d'olive
Sel de mer et poivre

Cuissots de lapin farci
4 cuisses de lapin désossées (par le boucher)
15 ml (1 c. à soupe) d'huile d'olive
1 blanc de poireau, émincé
125 ml (½ tasse) de crème 35%
1 tranche de pain de campagne, coupée en cubes
Sel de mer et poivre
125 ml (½ tasse) de pesto d'herbes et de canneberges
500 ml (2 tasses) de fond de volaille

Lait de panais et de fenouil
375 ml (1 ½ tasse) de lait
250 ml (1 tasse) de fenouil, émincé
1 petit panais, pelé et émincé
1 grosse échalote, hachée finement
Feuillage du fenouil, haché finement
Sel de mer et poivre

- Préchauffer le four à 180°C (350°F).
- Réhydrater les canneberges dans de l'eau chaude 40 minutes environ puis hacher finement.
- Dans un robot culinaire, mettre les herbes et l'ail; actionner et incorporer l'huile d'olive puis les canneberges.
- Dans une poêle antiadhésive, chauffer l'huile d'olive, ajouter le poireau puis la crème et mijoter 30 secondes. Incorporer le pain de campagne et le pesto d'herbes aux canneberges.
- Farcir les cuissots. Bien ficeler.
- Disposer dans un plat allant au four, chauffer le bouillon de volaille et le verser dans le plat. Couvrir de papier d'aluminium et cuire pendant 45 minutes.
- À feu moyen, faire mijoter le lait avec le fenouil, le panais et l'échalote pendant 20 minutes. Utiliser une casserole assez grande pour éviter le débordement du lait. Ajouter le feuillage du fenouil, le sel et le poivre. Passer au mélangeur et tamiser.
- Disposer une cuisse de lapin sur le lait de panais et de fenouil et arroser avec un peu du fond de cuisson.

Note: Vous pourrez conserver le surplus de pesto pour une recette de pâtes.

RENCONTRE GOURMANDE DU CHOCOLAT NOIR DE TANZANIE ET DES BLEUETS DU LAC-SAINT-JEAN, MOUSSELINE À L'ORANGE ET BISCUIT MOELLEUX À L'HUILE D'OLIVE

Pour 4 personnes

Préparation: 10 min
Temps de repos: 24 h
Cuisson: 8 min

Ingrédients

Biscuit moelleux à l'huile d'olive
5 ml (1 c. à thé) de jus de citron
60 ml (4 c. à soupe) de beurre
Zeste de ¼ de citron, râpé
80 ml (⅓ tasse) de sucre
2 œufs
10 ml (2 c. à thé) de lait
80 ml (⅓ tasse) de farine
2 ml (½ c. à thé) de poudre à pâte
30 ml (2 c. à soupe) d'huile d'olive

Mousse au chocolat de Tanzanie
80 ml (⅓ tasse) de chocolat noir de Tanzanie
60 ml (¼ tasse) de crème à fouetter
1 soupçon de vanille
2 blancs d'œufs
60 ml (¼ tasse) de sucre

Bleuets
125 ml (½ tasse) de bleuets
30 ml (2 c. à soupe) de miel
15 ml (1 c. à soupe) de Grand Marnier
Les zestes de ½ orange et ½ lime

Crème mousseline à l'orange
30 ml (2 c. à soupe) de sucre
15 ml (1 c. à soupe) de farine
215 ml (½ tasse) de jus d'orange
1 œuf
1 soupçon de vanille
80 ml (⅓ tasse) de crème à fouetter

Garniture
Sorbet aux agrumes
Feuilles de menthe

- Préchauffer le four à 180 °C (350 °F).
- Beurrer une tôle de 20 cm (8 po) de côté et recouvrir d'un papier parchemin.
- Faire fondre le beurre dans une petite casserole et laisser tiédir.
- Dans un bol, mettre le sucre et le zeste de citron. Ajouter les œufs un à un. Bien fouetter pour qu'ils moussent; ajouter le lait. Incorporer la farine, la poudre à pâte, le jus de citron et le beurre fondu. À l'aide d'une spatule, ajouter l'huile d'olive en deux fois, en pliant la pâte.
- Verser la pâte dans le moule et cuire au four pendant 8 minutes. Laisser refroidir et découper quatre cercles un peu plus grands que les verres à Old Fashioned utilisés pour la présentation.
- Chauffer la crème au point d'ébullition, verser sur le chocolat et fouetter jusqu'à refroidissement; la préparation prendra un peu de volume.
- Incorporer graduellement les blancs d'œufs montés en neige avec le sucre en pliant délicatement; laisser refroidir et couper en cubes.
- Mélanger les bleuets, le miel, le Grand Marnier et les zestes d'agrumes et laisser mariner 24 heures.
- Mélanger le sucre et la farine dans une casserole, ajouter le jus d'orange, l'œuf et la vanille; cuire à feu doux en tournant jusqu'à épaississement. Retirer du feu, réserver dans un bol et laisser refroidir.
- Fouetter la crème et plier dans la préparation.
- Dans un verre à Old Fashioned, verser de la crème mousseline à l'orange, y déposer délicatement un morceau de mousse au chocolat et verser le gaspacho aux bleuets.
- Coiffer le verre du biscuit moelleux à l'huile d'olive et y déposer un sorbet aux agrumes du commerce.
- Décorer d'une feuille de menthe ou de basilic.

LES FARINES ARTISANALES
de Rodrigue Tremblay

Rodrigue Tremblay se spécialise dans la culture de céréales biologiques et l'élevage d'animaux (bouvillons). Sur plus de 600 hectares, la ferme Éliro produit pois, avoine, orge, blé, soya, fève, sarrasin, canola, etc. Les grains sont moulus sur pierre, à l'ancienne, au Moulin A. Coutu, dans la région de Lanaudière, que les Tremblay ont acquis en 2002. La gourgane, le pois et le lin donnent des farines sans gluten, elles sont moulues seules, sans aucun contact avec d'autres produits qui pourraient les contaminer.

Ferme Éliro / Moulin A. Coutu
La Doré
Région: Saguenay–Lac-Saint-Jean
418 256-3755 / 256-3622
ou 1-800-321-4094
www.moulincoutu.com

LES HERBES ET ÉPICES BORÉALES D'ORIGINA
de Fabien Girard

Le biologiste et épicurien Fabien Girard extrait de la forêt du nord du Lac-Saint-Jean des plantes aux propriétés exceptionnelles, qui font partie d'un patrimoine gastronomique méconnu. Il a répertorié plus d'une trentaine de plantes aromatiques et comestibles. Des plantes telles la fleur d'aubépine, la graine aux trois agrumes, la fleur d'armoise, la muscade boréale, auxquelles s'ajoutent des plantes mieux connues comme le thé du Labrador ou le thé des bois. Elles sont mises en marché sous l'appellation d'Origina. La Coopérative forestière de Girardville propose 21 épices et une tisane.

Coopérative forestière de Girardville
Girardville
Région: Saguenay–Lac-Saint-Jean
418 258-3451
www.dorigina.com

LE BERGER DU FJORD
de Josée Gauthier

Lorsqu'ils reprennent la ferme familiale, Claude et Martin Gilbert donnent un nouveau souffle à la ferme vouée à l'élevage de l'agneau. Ils ajoutent au cheptel un troupeau de brebis laitières. L'idée d'une fromagerie prend forme avec l'arrivée de Josée Gauthier, la conjointe de Martin. Le premier fromage au lait de brebis voit le jour en 2006, le Berger du Fjord. Josée a mis au point le Jersey du Fjord, un fromage au lait cru de vache Jersey de type Cheshire.

Les Bergeries du Fjord
LaBaie
Région: Saguenay–Lac-Saint-Jean
418 543-9860

LES BLEUETS ENROBÉS DE CHOCOLAT
des Pères trappistes

Le monastère de Notre-Dame de Mistassini a été fondé le 10 novembre 1892 par trois moines venus de l'abbaye Notre-Dame-du-Lac, à Oka. Les moines vivent de la vente du chocolat et de confiseries; la spécialité: les bleuets et les canneberges enrobés de chocolat. La chocolaterie existe depuis 1977. Les pères trappistes de Mistassini combinent, en saison, le chocolat et les bleuets. Les perles bleues fraîches s'enrobent d'un bon chocolat noir; le mélange est enchanteur. On croque dans la bille qui éclate et fond avec le chocolat, le bleuet rafraîchit le sucre et répend son arôme.

Chocolaterie des Pères trappistes de Mistassini
Dolbeau-Mistassini
Région: Saguenay–Lac-Saint-Jean
418 276-1122 / 1-800-461-3699
www.monasteremistassini.org

LE CHUTNEY AUX BLEUETS
de Monique et Maurice Sénéchal

Monique et Maurice Sénéchal fabriquent des confitures et des tartinades avec les bleuets sauvages de la région. Mais c'est avec leur chutney qu'ils se démarquent: bleuets, vinaigre, cassonade, oignons, raisins, épices. Un délice! Une autre de leurs spécialités est la pâte de bleuets, qui se déguste comme confiserie.

Délices du Lac-Saint-Jean
Dolbeau-Mistassini
Région: Saguenay–Lac-Saint-Jean
418 276-4978
www.delicesdulac.com

JOHANNE
VIGNEAULT

Johanne Vigneault a fait de la Table des Roy une institution gastronomique des Îles-de-la-Madeleine. Sa cuisine raffinée, qui varie au gré des arrivages, a les accents de la mer. Cette autodidacte passionnée a acquis une réputation qui dépasse largement les frontières des Îles.

Photo: Louise Savoie

« Ce que je préfère dans une journée aux fourneaux, c'est l'ambiance de la cuisine lorsque la salle est pleine. »

Johanne Vigneault voit le jour dans le paysage grandiose de Bassin, aux Îles-de-la-Madeleine, au sein d'une famille de dix enfants. Lorsque son père, pêcheur, n'est pas à bord de son bateau, il cultive la terre, sale le poisson et fait des provisions pour l'hiver. « Très jeune j'ai appris que le poisson frais sent bon la mer, que tout se mange dans le homard et que la morue salée est un repas des grands jours. »

Simple plongeuse au restaurant La Table des Roy que Francine Roy et son mari André ont ouvert dans la maison où elle a grandi, Johanne découvre, fascinée, un monde pour elle jusque-là inconnu, celui de la gastronomie. Chaque jour est une révélation et, petit à petit, elle apprend les rudiments du métier. « J'ai eu la chance d'avoir comme maître une femme passionnée et généreuse. Francine Roy m'a appris le respect des produits, la détermination et la rigueur. »

En 1986, ses patrons lui font part de leur intention de vendre l'établissement et de retourner sur le continent. Récupérer la maison paternelle, à laquelle elle est si attachée, devient soudain un rêve réalisable. Mais elle se demande si elle sera de taille à perpétuer l'excellence de La Table des Roy. Après mûre réflexion, Johanne fait le saut.

Elle sait toutefois qu'elle doit parfaire son apprentissage. Elle accumule les stages : à Noirmont en Suisse chez Georges Wenger, à Nanaïmo en Colombie-Britanique au Mahle House Restaurant, à Québec chez Serge Bruyère et au Saint-Amour, à La Camarine à Beaupré chez son ex-patronne Francine Roy, enfin à Montréal, chez Denise Cornellier Traiteur et chez Graziella Battista. Dans son restaurant de Cap-aux-Meules, Johanne commence par rassembler une brigade entièrement féminine, une équipe talentueuse qui partage sa passion. Leur leitmotiv : si beaux, si frais et si originaux que soient les produits de base, il faut veiller à les rendre le plus goûteux possible sans en altérer en rien l'authenticité. « Pour ne pas dénaturer le produit, je cuisine poissons et fruits de mer simplement. Je préfère jouer avec les saveurs et les textures complémentaires, en intégrant, par exemple, des arômes inspirés des cuisines asiatiques. »

On comprend mieux ainsi comment cette jeune femme est devenue le porte-étendard des saveurs de l'archipel. Détentrice chaque année depuis 1995 du Grand Prix du tourisme régional, elle devient, en 2007, Lauréate Argent pour l'ensemble du Québec, un hommage aux artisans pêcheurs, producteurs ou éleveurs des Îles, constamment désireux d'offrir leurs meilleurs produits.

Pour la chef, une belle table «passe d'abord par les gens qui y sont assis». Elle aime les repas préparés de concert avec les invités, où chacun met la main à la pâte autour d'une bonne bouteille, et privilégie les plats à partager, déposés dans de belles grandes assiettes au centre de la table.

En plus de son restaurant gastronomique, Johanne a ouvert depuis quelques années un établissement plus modeste, près de la mer, le Café La Côte. Dans les deux, la morue salée est à l'honneur: à La Table des Roy, une Morue en deux tons et, au Café La Côte, une pizza à la morue salée. L'été, la clientèle de Johanne Vigneault est surtout composée de touristes, mais, toutes saisons confondues, les insulaires forment une clientèle fidèle. À la belle saison, son amoureux entretient un magnifique potager dans lequel, année après année, il expérimente de nouveaux produits.

«La gastronomie n'est plus réservée à la restauration et aux grands événements et c'est tant mieux. Elle se vit au quotidien, au marché, à l'épicerie, à chacun des repas de la journée, elle est devenue spontanée.»

LA TABLE DES ROY / CAFÉ LA CÔTE

1188, chemin La Vernière /
499, chemin Boisville Ouest
Îles-de-la-Madeleine
418 986-3004 /
418 986-6412
www.latabledesroy.com
www.cafelacote.com

CARPACCIO DE VEAU DES NATHAËL ET TOMME DES DEMOISELLES

Pour 4 personnes

Préparation: 30 min
Temps de repos: 2 h
Refroidissement: 1 à 2 h

Ingrédients

300 g (¾ lb) de filet mignon de veau des Nathaël (veau élevé aux Îles-de-la-Madeleine)

Marinade

75 ml (5 c. à soupe) d'huile d'olive
5 ml (1 c. à thé) de sauce soya japonaise
5 ml (1 c. à thé) de vinaigre balsamique
Poivre grossièrement moulu
1 échalote finement hachée
4 branches d'origan frais, les feuilles hachées
½ petite gousse d'ail écrasée
5 ml (½ c. à thé) de zeste de citron

Garniture

15 ml (1 c. à soupe) de canneberges séchées, hachées
15 ml (1 c. à soupe) de pignons grillés
Mini laitues bios
Tomme des Demoiselles en copeaux (ou un autre fromage de type parmesan)

- Au fouet, mélanger l'huile d'olive, l'ail écrasé, l'échalote hachée, l'origan, le zeste de citron, la sauce soya, le vinaigre balsamique et le poivre.
- Badigeonner le filet avec la moitié de cette vinaigrette; envelopper dans du papier film et former un rouleau très serré; laisser mariner au froid environ 2 heures.
- Chauffer un poêlon à feu vif, y saisir rapidement le filet pour le colorer; retirer du feu et refroidir quelques minutes; réemballer le filet dans du papier film comme précédemment; congeler partiellement le filet de veau environ 1 heure ou plus, selon le réglage de votre congélateur, afin de faciliter le tranchage.
- Couper le filet en tranches très fines et disposer dans les assiettes, en rosace; badigeonner avec un peu de la vinaigrette.
- Dans un bol, mélanger les mini pousses, les pignons grillés, les canneberges séchées et arroser de vinaigrette. Placer au centre des carpaccios. Ajouter le poivre et la fleur de sel. Parsemer des copeaux de Tomme des Demoiselles.
- Servir avec une tuile croustillante au parmesan ou un long croûton.

PARMENTIER DE MORUE SALÉE, MORUE FRAÎCHE POÊLÉE, ROQUETTE ET TOMATES RAISINS POCHÉES À L'HUILE D'OLIVE

Pour 4 personnes

Préparation: 24 h (trempage)
Cuisson: 20 min

Ingrédients

400 g (1 lb) de morue salée, mise à dessaler en changeant l'eau régulièrement
4 carrés de morue fraîche d'environ 100 g (¼ lb) chacun
Huile d'olive
Zeste de 1 citron frais, finement râpé
30 ml (2 c. à soupe) de persil italien, haché
Sel et poivre
1 kg (2 lb) de pommes de terre de type Yukon Gold, pelées
1 oignon espagnol, coupé en dés
2 petites gousses d'ail
100 g (3 ½ on) de coppa Les cochons tout ronds, coupée en petits dés
24 tomates cerises
Fleur de sel
Beurre
125 ml (¼ tasse) d'huile d'olive
Roquette
Thym frais
Ciboulette hachée
Persil italien ciselé

- Retirer la morue de son eau de trempage, l'égoutter et l'éponger avec du papier essuie-tout. La déposer dans un poêlon légèrement huilé et cuire quelques minutes à feu doux jusqu'à ce qu'elle commence à s'effeuiller. Elle devrait avoir rejeté son eau. Égoutter au besoin.
- Effeuiller la morue à l'aide d'une fourchette, ajouter l'huile d'olive, le zeste de citron râpé, le persil italien haché, le poivre; mélanger délicatement. Réserver.

Note: Cette préparation peut être faite à l'avance, réfrigérée et réchauffée au dernier moment.

- Cuire les pommes de terre à l'eau salée. Pendant ce temps, faire revenir l'oignon à feu moyen dans un peu d'huile et de beurre; ajouter 1 gousse d'ail écrasée et cuire à découvert en remuant régulièrement jusqu'à ce que les oignons soient cuits et légèrement caramélisés, environ 10 minutes. Tailler la coppa en petits lardons et faire dorer. Égoutter les pommes de terre et faire une purée assez ferme; incorporer les oignons caramélisés et les lardons de coppa rôtis. Assaisonner et réserver .
- Préchauffer le four à 180 °F (350 °F).
- Chauffer un peu d'huile d'olive dans un poêlon antiadhésif. À feu vif, y saisir les carrés de morue juste le temps d'obtenir une belle croûte dorée. Terminer la cuisson au four sur plaque huilée environ 6 minutes selon l'épaisseur du poisson.
- Chauffer l'huile d'olive dans une poêle, ajouter une petite gousse d'ail et laisser infuser; pocher rapidement les petites tomates, les retirer, les égoutter et les saupoudrer de fleur de sel; réserver.
- Retirer la gousse d'ail de l'huile, ajouter le persil italien ciselé, le thym frais, la ciboulette hachée et une pointe de zeste de citron râpé. Saler et poivrer.
- Dans un bol, mélanger la roquette et les tomates pochées, touiller avec la vinaigrette.
- Monter les parmentiers: sur une plaque huilée, dresser un rang de purée de pomme de terre aux lardons et oignons en utilisant un emporte-pièce circulaire. Couvrir de la préparation de morue salée et terminer par un autre rang de pomme de terre. Badigeonner de beurre fondu et placer 5 minutes au four chaud; terminer en dorant sous le gril.
- Dresser sur une grande assiette rectangulaire en espaçant la morue fraîche rôtie, la salade au centre et le parmentier. Verser un filet de vinaigrette sur la morue fraîche et servir.

TARTELETTE TIÈDE AU CHOCOLAT NOIR, VERRINE DE FRAISES DES CHAMPS AU POIVRE ET AU BASILIC

Pour 12 à 15 tartelettes

Préparation: 45 min
Cuisson: 20 min
Repos de la pâte: 1 h

Ingrédients

Verrine de fraises des champs
250 ml (1 tasse) de fraises des champs ou autres
15 ml (1 c. à soupe) de sucre
2 tours de moulin de poivre noir grossièrement moulu
2 grandes feuilles de basilic, ciselées
5 ml (1 c. à thé) de vinaigre balsamique

Pâte sucrée
250 g (2 tasses) de farine tamisée
75 g (¾ tasse) de sucre à glacer
150 g (150 ml - ⅔ tasse) de beurre doux ramolli
1 œuf
5 g (3 ml - ½ c. à thé) de sel

Appareil au chocolat
150 g (⅔ tasse) de chocolat amer
100 g (un peu moins de ½ tasse) de beurre doux
3 jaunes d'œufs
1 œuf entier
30 g (⅓ tasse) de sucre à glacer tamisé

- Dans un bol, mélanger les fraises, le sucre, le basilic et le poivre. Laisser reposer au frais 1 heure. Répartir dans des verres à liqueur et, au moment de servir, verser sur chacun le vinaigre balsamique.
- Dans le bol d'un robot culinaire, déposer la farine tamisée, le sucre et le sel; mélanger. Ajouter le beurre et l'œuf. Mélanger juste assez pour former une boule. Retirer du mélangeur et emballer dans un papier film, placer au froid environ une heure.
- Préchauffer le four à 180 °C (350 °F).
- Abaisser la pâte, foncer des moules à tartelettes, les couvrir chacune de papier et remplir de haricots secs. Cuire au four environ 12 minutes. Sortir du four, retirer le papier et les haricots secs et laisser refroidir sur une grille.
- Préchauffer le four à 150 °C (300 °F).
- Fondre le chocolat et le beurre au bain-marie. Dans un bol, fouetter les œufs et le sucre jusqu'à ce que le mélange blanchisse légèrement. Ajouter le chocolat fondu en remuant doucement jusqu'à ce que le mélange soit homogène. Verser cette préparation dans le fond des tartelettes refroidies et cuire au four 8 minutes (le centre doit demeurer légèrement liquide). Servir immédiatement.

LE BEURRE D'ÉGLANTIER
de Carole Painchaud

La vie aux Îles-de-la-Madeleine est marquée par la cueillette des petits fruits sauvages. À son arrivée, Carole Painchaud n'a pas échappé à la tradition. Et cela est vite devenu sa passion. Avec les fraises des champs, les bleuets, les berris, les pommes des prés (canneberges), elle confectionne confitures et desserts – des «douceurs», comme les appellent les Madelinots. Le beurre d'églantier (le fruit du rosier sauvage) a la consistance d'une compote légère et coulante. Il a un petit goût vanillé avec des arômes de pomme.

Douceurs des Îles
Étang-du-Nord
Région: Îles-de-la-Madeleine
418 986-3615

LE CIDRE L'ENCHANTEUR DE POMMES
du Verger Poméloi

Ce verger, le seul aux Îles-de-la-Madeleine, a été implanté en 1990. La culture biologique à l'air salin développe des levures exceptionnelles. Le jus fermenté lentement et à froid met en valeur les saveurs et les arômes des pommes et du miel. On y produit l'Enchanteur de pommes, un cidre apéritif, et le Chouchen, un hydromel.

Verger Poméloi
Bassin
Région: Îles-de-la-Madeleine
418 937-5611

LA TOMME DES DEMOISELLES
de Stéphane Chiasson et Jérémie Arsenault

Deux buttes bien rondes du paysage d'Havre-Aubert ont inspiré Stéphane Chiasson pour l'appellation de son dernier né. La Tomme des Demoiselles, fabriquée avec le lait cru du troupeau de vaches canadiennes de Jérémie Arsenault, est affinée pendant plusieurs mois, ce qui lui confère son caractère particulier rappelant le parmesan.

Fromagerie du Pied-de-Vent
Havre-aux-Maisons
Région: Îles-de-la-Madeleine
418 969-9292

LES BIÈRES
de Jean-Sébastien Bernier et Anne-Marie Lachance

Fondée en 2004, la microbrasserie À l'abri de la Tempête élabore ses bières avec des ingrédients récoltés sur le territoire madelinot, garantie d'authenticité et de fraîcheur. Ses créations sont uniques, originales et portent des noms évocateurs: L'écume de mer, Belle saison, Terre ferme, Corps mort, Corne de brume Vieux Couvent, Pas Perdus, Grave du Café. La Corne de brume a été classée sixième meilleure Scotch ale au monde par Ratebeer.

À l'abri de la Tempête
Étang-du-Nord
Région: Îles-de-la-Madeleine
418 986-5005
www.alabridelatempete.com